LA FRANCE A LA CARTE

LA FRANCE A LA Carte

Christian Millau

photographies de Philippe-Louis Houzé

CHÊNE

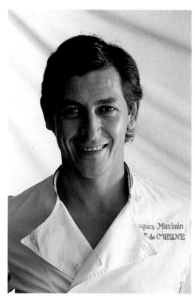

Jacques Maximin
Chantecler (Hôtel Negresco)

Georges Blanc

Jacques Chibois
Le Royal-Gray

Photographies des pages précédentes :

Élevage d'oies destinées au gavage dans la région d'Auch.

La ville de Joigny, sur l'Yonne.

Le marché de Joigny.

Banquette en velours rouge du restaurant « le Grand Véfour ».

Frontispice : ingrédients pour la préparation du foie gras d'André Daguin.

Maquette : J.C. Suarès.

La France à la carte est également une série télévisée conçue et réalisée par Jean-Louis Comolli, produite par Initial Groupe, FR3 et CEL Communications.

Alain Chapel

Michel Trama
L'Aubergade

Pierre Gagnaire
Saint-Étienne

Michel Rostang

Bernard Loiseau
Hôtel de la Côte-d'Or

Louis Outhier
L'Oasis

SOMMAIRE

Gérard Boyer
Château des Crayères

Claude Deligne avec
Jean-Claude Vrinat
Taillevent

Paul et Marc Haeberlin
Auberge de l'Ill

AVANT-PROPOS

Ce que l'on appelle «cuisine française» est une expression très large englobant plusieurs styles de cuisine, extrêmement différents les uns des autres. Mais beaucoup de Français qui utilisent pourtant ces mots presque chaque jour ne savent pas très bien ce que veulent dire «grande cuisine», «cuisine classique», «nouvelle cuisine», «cuisine du terroir» ou «cuisine bourgeoise». Il n'est donc pas inutile de préciser, avec des mots simples, ce que sont chacune de ces cuisines dont l'ensemble constitue «la cuisine française».

LA HAUTE CUISINE, baptisée aussi plus fréquemment «grande cuisine», trouve son origine à la cour des rois. Le premier qui paraît avoir donné à sa table un certain raffinement fut Charlemagne. Couronné empereur d'Occident en l'an 800, il lança notamment la mode du paon, que l'on présentait garni de toutes ses plumes et dont le bec crachait le feu. Au Moyen Age, les cuisines royales occupaient des centaines de personnes et l'on y préparait des plats extrêmement décorés et surchargés que l'on ne voyait nulle part ailleurs, sauf dans les salles à manger des grands seigneurs du royaume. Ailleurs, on se contentait de soupes, de rôtis, de nourritures simples et même assez frustes.

Avec la Renaissance, lorsque la jeune Catherine de Médicis épousa Henri II et vint s'installer à Paris au palais du Louvre, en 1533, une nouvelle ère commença pour la gastronomie. Catherine avait apporté avec elle ses cuisiniers, ses recettes et même beaucoup d'épices et de produits, importés d'Orient et d'Asie, souvent inconnus en France.

Les recettes, lourdes et effroyablement compliquées, qui étaient réalisées à la Cour depuis le Moyen Age se simplifièrent et s'affinèrent (c'est à cette époque, par exemple, qu'apparurent les premiers plats de poisson en sauce).

Cette cuisine évolua évidemment au cours des siècles, selon les modes et aussi le style de chaque souverain (Louis XIV était un glouton, Louis XV, en revanche, fut un fin gourmet), mais elle ne cessa jamais d'être une cuisine extrêmement riche et coûteuse, à l'usage quasi exclusif de la classe privilégiée.

On peut trouver, au milieu des 200 000 bouteilles de vin des célèbres caves de la Tour d'Argent, un château-citran 1885, un château-d'yquem 1871 et un chambertin 1865. Le chambertin, vin de Bourgogne, était le vin préféré de Napoléon.

16

A partir de la révolution de 1789, elle commença à apparaître dans les restaurants de luxe qui venaient de naître et, au XIXᵉ siècle, se répandit dans les maisons de l'aristocratie et de la bourgeoisie aisée dont chacune possédait un chef ou au moins une cuisinière, entourés d'un personnel nombreux. Les plus célèbres cuisiniers travaillèrent dans des maisons privées, comme Carême, qui était au service de Talleyrand.

Aujourd'hui, on peut compter sur les doigts des deux mains les familles françaises qui disposent d'une véritable brigade de cuisine et même les plus fortunés, quand ils veulent manger de la grande cuisine, n'ont d'autre ressource que d'aller au restaurant.

La grande cuisine, qui s'est démocratisée, a conservé cependant, en raison de son prix élevé, un caractère exceptionnel. Elle reste le privilège des grands restaurants. On ne doit pas l'oublier au moment de choisir l'établissement où l'on se propose de s'offrir une fête.

LA CUISINE CLASSIQUE n'est rien d'autre que cette grande cuisine, avec ses règles et ses recettes telles qu'elles furent appliquées au cours du XIXᵉ siècle et de la première moitié du XXᵉ. Le livre de recettes d'Escoffier, publié dans les années 1900, a été une véritable bible pour plusieurs générations de chefs, jusque dans les années 1970. Il l'est encore aujourd'hui pour quelques-uns, mais il faut bien constater que la plupart des plats de la grande cuisine dite «classique» ont disparu de la carte de la quasi-totalité des restaurants renommés. Ni chez Guérard, ni chez Senderens, ni chez Georges Blanc, ni même à la Tour d'Argent, on ne vous servira du tourne-

dos Rossini, de la sole Duglère, du homard Thermidor ou de la selle de veau Orlov. Ne le regrettez pas : ces plats étaient généralement plus jolis à regarder que bons à manger.

On peut citer toutefois quelques maisons qui vivent encore sur le passé et où l'on sert la même cuisine qu'il y a cinquante ans, comme Point, à Vienne, ou le Père Bise, à Talloires, pour ne parler que des plus connus. Partout ailleurs, les grands restaurants offrent une cuisine plus moderne, plus personnelle et, en tout cas, différente.

LA NOUVELLE CUISINE. L'expression fut lancée en 1973 par le magazine *Gault-Millau* et eut rapidement le succès que l'on sait. Celui-ci n'a pas inventé la nouvelle cuisine mais simplement traduit une conception et un état d'esprit nouveaux qui commençaient à se manifester chez une génération de cuisiniers qui allaient devenir les plus célèbres.

Aujourd'hui, il est bien évident que, quinze ans après, la nouvelle cuisine n'est plus nouvelle. Elle est devenue une part de l'héritage culinaire français. Elle a été la cause de pas mal d'erreurs et a suscité pas mal de mauvaises copies de la part d'imitateurs sans talent. Il est inutile de s'en offusquer : il en est toujours ainsi lorsqu'un mouvement nouveau apparaît. L'impressionnisme et le cubisme n'ont pas créé, non plus, que des Monet et des Picasso...

Cela dit, les idées fortes de la nouvelle cuisine continuent d'inspirer celle que nous mangeons dans les meilleurs restaurants et il n'est pas inutile de les rappeler brièvement. Tout d'abord, il faut se souvenir que la grande cuisine classique était extrêmement dogmatique.

Leur livre d'Escoffier en main, les jeunes cuisiniers n'avaient d'autre choix que d'appliquer les règles. Aucune fantaisie, aucune création personnelle n'étaient admises.

Mais il y avait plus grave. Les règles étaient de plus en plus mal respectées et dans les années 1960 la réputation gastronomique de la France était, même à l'étranger, fortement discutée. On sacrifiait le goût à la présentation ; on fourrait des produits riches, comme le foie gras, le caviar ou la truffe un peu partout ; on abusait des flambages au cognac ou au whisky ; on utilisait de vieux fonds de sauce et dans les grandes maisons on préparait la plupart des plats à l'avance pour les réchauffer au moment du service. Bref, on avait pris de mauvaises habitudes et la grande cuisine était entrée dans une période de décadence.

La nouvelle cuisine est arrivée comme une réaction contre ces pratiques déplorables. Elle mettait en avant quelques principes simples :

1. *Les goûts avaient changé.* Les Français ne mangeaient plus comme leurs pères ou leurs grands-pères. Ils désiraient une cuisine plus légère, respectant mieux les nouveaux impératifs de santé et de bonne forme physique.

2. *Le refus de la complication inutile.* On découvrait l'esthétique de la simplicité ainsi que la vanité des appellations prétentieuses. Une langouste « à la parisienne » sous sa carapace de gelée, parmi ses barquettes et ses œufs durs, est moins bonne que préparée « à la nage » dans un simple bouillon de légumes bien épicé.

3. *La cuisine du marché.* Les cartes gigantesques, qui imposaient des stocks et obligeaient à garder trop longtemps au réfrigérateur les produits qui n'avaient pas été utilisés, devaient laisser place à des cartes plus limitées, mieux étudiées et sur lesquelles chaque jour seraient présentés de nouveaux plats, réalisés en fonction du marché et des saisons.

4. *La légèreté.* Adieu aux sauces trop riches, trop lourdes, aux terribles sauces brunes et blanches, espagnoles, béchamel, Grand Veneur ou Mornay qui avaient assassiné tant de foies et couvert tant de chairs fades ! On ne mettrait plus qu'exceptionnellement de l'alcool dans les sauces, on n'utiliserait la farine qu'avec parcimonie et on cesserait de croire que plus on met de beurre et de crème dans un plat, meilleur il est, alors que c'est complètement faux. Des matières grasses, oui, mais juste ce qui est nécessaire. Un repas ne doit pas être une épreuve mais un plaisir.

5. *Des cuissons moins longues.* Les Français ont la détestable habitude, surtout dans les restaurants, de faire trop cuire leurs poissons et leurs légumes. Résultat, ceux-ci perdent leur goût et leurs sels minéraux. Rien n'est meilleur qu'une sole cuite rose à l'arête, comme en Angleterre (rose, pas saignante !) ou des légumes verts, légèrement croquants, comme en Asie.

6. *Le retour à la gastronomie régionale.* La « haute cuisine » parisienne, volontiers prétentieuse, avait rejeté dans l'ombre les savoureuses recettes familiales et provinciales. Il fallait inciter les restaurants régionaux à redécouvrir ce trésor de simplicité et les chefs à modifier éventuellement ces plats traditionnels pour les rendre plus légers.

7. *L'invention.* Certains ont beau affirmer que, dans le domaine de la cuisine, tout a été créé, il reste pourtant bien des mariages de

saveurs et même de plats à inventer. Aujourd'hui les produits circulent dans le monde entier et il n'y a aucune raison pour ne pas tirer parti de légumes ou de fruits qui poussent à des milliers de kilomètres de chez nous. Un cuisinier ne doit pas se contenter, s'il veut être considéré comme un grand, de refaire toute sa vie la même cuisine. Il doit sans cesse se renouveler, quitte à commettre parfois des erreurs.

Si la cuisine est un art, les chefs doivent se comporter comme des artistes. Et non comme des fonctionnaires.

8. *La France n'est pas seule au monde.* Elle l'a cru pendant longtemps, mais cela n'est plus vrai. A l'époque des voyages et des échanges internationaux, chaque cuisine doit, bien sûr, conserver son style, mais les influences étrangères lui permettent de se renouveler. A cet égard, l'Extrême-Orient, avec ses épices, ses

cuissons à la vapeur et ses mariages de goûts (sucré-salé, doux-amer), apporte un renouveau à la cuisine française, identique à celui que produisit la découverte de la cuisine à l'époque de Catherine de Médicis.

9. *Le restaurant doit être un plaisir complet.* La présentation des plats, le charme du décor et le raffinement de la table doivent aller de pair avec la finesse et l'excellence de la cuisine, sinon le client ne connaît qu'un plaisir incomplet. Le «service à l'assiette» (de grandes assiettes, nommées en France «plats américains» et que presque aucun restaurateur n'utilisait) permet d'une part de ne pas tout mélanger et de transformer les meilleurs mets en bouillie, d'autre part de composer de véritables petits tableaux dont la beauté met en appétit.

Bien entendu, cela ne vaut que pour la cuisine moderne. La cuisine régionale, avec ses

potées, ses daubes et ses ragoûts, doit continuer à être servie comme elle l'a toujours été.

10. *Ne pas refuser les techniques modernes.* Les chefs français montraient, dans l'ensemble, une préférence quasi maladive à l'égard des techniques d'avant-garde. A la fin du XIXe siècle, certains considéraient le réfrigérateur comme un instrument du diable et préféraient laisser mariner les viandes et les gibiers dans l'huile ou le vin pour masquer leur manque de fraîcheur ! Heureusement, la jeune génération actuelle réagit autrement et grâce à des gens comme Michel Guérard, Alain Senderens, Jacques Maximin et bien d'autres, on s'aperçoit que des instruments tels que le mixer, le four à micro-ondes et des techniques comme la surgélation à domicile, facilitent non seulement le travail mais permettent aussi, bien utilisés, de faire une meilleure cuisine.

Tels étaient donc, en gros, les dix points de la nouvelle cuisine. Leurs recommandations sont entrées dans les mœurs et l'on peut dire que dans les meilleures maisons elles sont toujours respectées avec le même soin. Dans les moins bonnes, bien sûr, il en est autrement. Mais peut-on sérieusement condamner la cuisine moderne sous prétexte qu'il existe de mauvais cuisiniers ? A l'époque de la « haute cuisine » classique, les gâte-sauce ne manquaient pas non plus.

LA CUISINE RÉGIONALE, dite aussi « cuisine du terroir », se perpétue depuis des siècles. Sa richesse et sa diversité — auxquelles peuvent seulement se comparer celles de la cuisine chinoise — donnent à la cuisine française sa fantastique complexité. Si vous parcourez la France en voiture, vous pouvez vous dire qu'à peu près tous les cent kilomètres vous entrez dans une région où tout est différent, non seulement les maisons, mais aussi la cuisine.

Certes, le monde moderne tend à l'uniformité et de plus en plus de gens, chez eux, qu'ils habitent la Provence ou la Bretagne, la Champagne ou le Périgord, mangent à peu près de la même façon. Heureusement, il y a les restaurants pour maintenir les traditions et on assiste aujourd'hui à une sorte de retour aux sources très significatif. Il y a encore beaucoup trop de cuisiniers qui, sur la Côte d'Azur, se contentent de servir de la soupe de poissons (en boîte) et de la bouillabaisse ; dans les Landes du foie gras et des confits ou en Alsace de la choucroute, et qui ne vont jamais au-delà. Mais on en rencontre de plus en plus qui se donnent réellement du mal, récupèrent des recettes oubliées ou négligées et offrent de leur région un panorama gastronomique aussi complet que possible.

A Paris existent à peu près toutes les spécialités des régions de France, mais c'est sur place qu'il faut aller les manger. D'abord, parce qu'on y trouve les produits de la région, ensuite parce que les cuisiniers ont plus l'habitude de les traiter, enfin parce que la couleur locale, le paysage et les gens eux-mêmes apportent un supplément de plaisir. Entre une bouillabaisse servie dans un restaurant parisien et une autre mangée sur une terrasse au bord de la Méditerranée, sous un ciel étoilé et parmi le chant des cigales, il n'y a rien de commun. Un coq au vin, dans une auberge de Bourgogne, ne sera peut-être pas meilleur que cuisiné dans le quartier des Champs-Élysées, mais quel bonheur de le déguster sur une

Malgré la mythologie qui les entoure, les truffes sont tout simplement des champignons souterrains à l'arôme céleste. Celles qui sont noir foncé et qui sont conservées dans du cognac ont de fortes chances d'être d'authentiques truffes du Périgord.

table de ferme, parmi des vignerons en casquette !

LA CUISINE DE BISTROT. A Paris, on l'appelle «cuisine bourgeoise» car elle était dans le temps la cuisine de tous les jours pour la majeure partie de la population. C'est une cuisine qui comporte nombre de plats lentement mitonnés et demande donc du temps. Aussi la voit-on de moins en moins dans les familles et l'on va maintenant dans les petits restaurants pour la déguster. C'est une cuisine généreuse, quelquefois un peu lourde, mais qui, bien faite, est tout à fait délicieuse, qu'il s'agisse du pot-au-feu, du navarin d'agneau, du bœuf en daube, du hachis Parmentier, de la tête de veau sauce gribiche, de bœuf mode, du chou farci, du lapin chasseur, du poulet en cocotte, du ragoût de mouton aux haricots blancs ou de la sole au plat.

Bien entendu, ces plats ne sont pas l'exclusivité des petits restaurants et des bistrots de quartier, mais c'est chez eux que cette cuisine-là se rencontre le plus souvent. Bien qu'une fois il nous soit arrivé de manger à Paris chez Lasserre le meilleur navarin du monde. C'était le plat du jour pour le personnel. Quand nous avons demandé pourquoi on ne le mettait pas à la carte, on nous a répondu : «Ça n'est pas assez élégant !» Évidemment, il était difficile d'y ajouter du foie gras, des truffes ou du caviar...

Ci-contre : 1. Le restaurant de Jean-Marie Amat, situé dans une grande villa construite en pierres de taille blanches, propose une cuisine régionale élégante. 2. Le Carlton à Cannes est un monument qui témoigne du luxe des grands hôtels de jadis. 3. Chez Bofinger : verrière décorée de motifs de fleurs et de fruits. Bofinger est l'un des plus vieux et des plus beaux restaurants parisiens. 4. Les plats de Michel Guérard à l'auberge Eugénie-les-Bains risquent de vous faire prolonger votre séjour dans le Sud-Ouest de la France.

LES GRANDS RESTAURANTS PARISIENS

Un cadeau de la Révolution

Chapitre

1

Le docteur Guillotin, inventeur de l'instrument que l'on sait, doit être tenu pour l'un des pères spirituels de nos grands restaurants. Avant la révolution de 1789, on allait dans les auberges qui servaient, à heures et à prix fixes, des menus quasiment invariables. Il y avait aussi les traiteurs qui, depuis le règne de Louis XIV, étaient autorisés à servir sur place trois plats de viande — pas un de plus — et les marchands de vin qui avaient la permission d'offrir à leurs clients un nombre très limité de plats. Dans les lieux publics, on retrouvait partout et éternellement les mêmes soupes, bouillies, légumes, fromages et fruits. Ce qui fit dire en 1718 au voyageur allemand Nemeitz : «Presque tout le monde croit que l'on fait bonne chère en France et surtout à Paris : c'est une erreur. » Si l'on voulait goûter aux plats raffinés décrits dans les ouvrages de cuisine, on n'avait guère le choix qu'entre sa propre table et celle de ses amis.

Ce fut seulement à la fin du XVIIIᵉ siècle que l'on commença à voir apparaître le mot «restaurant». Jusqu'alors, celui-ci avait désigné exclusivement les «bouillons fortifiants» que les marchands de bouillon étaient autorisés à servir. L'un d'eux, nommé Boulanger, sis rue Bailleul, près du Louvre, eut un jour l'audace de présenter à ses clients des pieds de mouton à la sauce blanche, ce qui lui était interdit car, ne faisant pas partie de la corporation des traiteurs, il ne pouvait servir ni sauce ni ragoût. Or, il eut la chance de gagner le procès qu'on lui intenta et, l'affaire ayant fait du bruit, on se précipita bientôt chez lui pour manger sur des tables de marbre les fameux pieds de mouton auxquels, sur sa lancée, il avait adjoint des volailles au gros sel. En 1771, le mot «restaurateur» fit son entrée au *Dictionnaire de Trévoux* et peu à peu de nombreux «restaurateurs», se sentant libérés des contraintes imposées par les édits royaux d'autrefois, se mirent à servir toutes sortes de nourritures.

Le premier restaurant digne de ce nom ne s'ouvrit qu'en 1783, sous les arcades du Palais-Royal, sous la direction d'Antoine Beauvilliers, ancien officier de bouche de Monsieur, comte de Provence, et ex-attaché aux Extraordinaires des Maisons royales. L'épée au côté, celui-ci arpentait avec une majesté soigneusement étudiée ses salons de la galerie de Valois où l'on dégustait la plus fine cuisine dans de la vaisselle d'argent. La Révolution fit accourir chez lui un public quelque peu différent mais plus avide encore, tel le député Chaumette, qui venait là mettre en pratique sa récente déclaration de foi : «Enfin, notre tour est venu de jouir de la vie ! »

Beauvilliers, véritable précurseur, n'avait fait

On dit que c'est de rêves que l'on se nourrit chez Maxim's. Depuis toujours, c'est l'endroit où l'on va pour être vu.

que devancer un mouvement auquel la Révolution ne manqua pas de donner un sérieux coup d'accélérateur. En effet, leurs maîtres en prison ou sur la route de l'exil, les cuisiniers des grandes maisons privées se mirent à leur tour à s'installer dans leurs propres meubles et, malgré la disette qui régnait à Paris, la période de la Révolution fut propice, paradoxalement, à l'ouverture et à la prospérité des restaurants. Ne vit-on pas, par exemple, les membres du jury qui venait de condamner Marie-Antoinette s'enfermer dans un salon particulier de la rue de Rivoli (à l'emplacement de l'actuel Hôtel Meurice) et s'y faire servir foie gras, bécasses, cailles au gratin, ris de veau, poulardes farcies de truffes, vins de Sauternes et de Champagne.

Sous le Directoire, puis sous l'Empire, les grands restaurants connurent une vogue extraordinaire ; au Palais-Royal, qui demeurait encore pour quelque temps le carré sacré de la gourmandise, des maisons comme le Grand Véfour, Véry ou les Frères Provençaux virent affluer chez elles la terre entière.

Plus tard, avec l'avènement de Napoléon III, le centre de gravité de la restauration se déplaça autour de l'Opéra, sur les Grands Boulevards, où s'inscrit jusqu'à la Seconde Guerre mondiale le chapitre le plus brillant de la cuisine parisienne, avec des établissements comme le Café Anglais, le Café Riche, Tortoni, Larue, Voisin, Paillard ou la Maison Dorée. De cette époque fabuleuse, il ne reste plus que quelques rares vestiges, mais encore tellement beaux et émouvants qu'un gourmet s'y rend avec la même ferveur qu'un croyant à un pèlerinage.

Si la plupart de ces monuments ont disparu, c'est parce que le monde avait changé. Quand, par exemple, après avoir servi à André Malraux un dernier repas, le Café de Paris, avenue de l'Opéra, ferma ses portes en 1953, il y avait trois fois plus de personnel en salle et dans les cuisines qu'il n'était nécessaire. Il faut ajouter qu'au lendemain de la dernière guerre ces grands restaurants se trouvaient souvent en piteux état, que l'argent manquait pour les rénover et que l'atmosphère assez lugubre qui y régnait n'était pas faite pour attirer un public qui, après une longue période de tristesse et de restrictions, avait besoin de gaieté, de couleurs vives et de chaleur humaine.

Les clients, également, avaient changé. Leurs goûts gastronomiques étaient devenus plus simples et leur appétit s'était allégé. Le temps était bien révolu où un Honoré de Balzac, s'attablant chez Véry, engloutissait à lui tout seul un cent d'huîtres, douze côtelettes d'agneau, un caneton aux navets, une paire de perdreaux rôtis, une grosse sole à la crème, des desserts et une douzaine de poires ! On ne verrait plus jamais, comme au Café Anglais, trois amis parisiens payer une petite fortune (l'équivalent de cinquante mille francs d'aujourd'hui) pour se faire servir un cent de grenouilles. Cette année-là, les rivières et les marais autour de Paris étaient gelés et la direction du restaurant avait dû embaucher cinquante ouvriers pour casser la glace et pêcher les grenouilles...

Il y a quelques années, à part Maxim's et la Tour d'Argent, dont nous reparlerons, le glas semblait avoir sonné définitivement pour les grands dinosaures de la restauration, dont on se demandait seulement s'ils seraient convertis en banques ou en restaurants chinois.

Puis, voici qu'à la surprise générale, le vieux cimetière s'est animé et que nombre de ces lieux historiques non seulement ne sont pas tombés en poussière, mais ont retrouvé une seconde jeunesse. Certes, Maxim's et la Tour d'Argent n'avaient jamais cessé d'être à la mode. Toutefois, il n'y a pas si longtemps, on commençait à se demander si ces deux institutions avaient la moindre chance de voir la fin de ce siècle. Or, aujourd'hui, il y a déjà des tables réservées, chez l'un et l'autre, pour le réveillon de l'an 2000...

Aujourd'hui, même si elle n'est plus celle de l'époque où le restaurant recevait les têtes couronnées de toute l'Europe, la clientèle de Maxim's est toujours aussi dorée et élégante. Le décor Art Nouveau du restaurant a récemment été rénové par Pierre Cardin.

De Maxim's à la Tour d'Argent : une nouvelle jeunesse pour les monuments historiques

Créé en 1893, Maxim's était devenu, lors de l'Exposition universelle de Paris en 1900, le premier endroit où il fallait absolument se montrer. Dans le décor délirant et magique du « Modern Style » qui venait de naître — véritable forêt vierge d'acajou, de cuivre et de bronze — toutes les grandes figures de la finance, des arts et du spectacle faisaient la fête en compagnie de dames charmantes et compréhensives qui faisaient payer très cher leurs charmes aux rois en visite et aux princes de l'industrie. Toutes les folies étaient permises et même encouragées. Un soir, le magnat du coton, Mac Fadden, fit apporter sur un plat d'argent une ravissante jeune femme entièrement nue. Un autre excentrique fit son entrée à cheval, tandis que le grand-duc de Russie, Ivan, terminait sa huitième bouteille de champagne Mumm avant de s'écrouler.

La Première Guerre mondiale mit fin à ces extravagances et dans les années 30 Maxim's se contenta d'être désormais le restaurant le plus élégant de Paris, sinon du monde.

Pendant les quatre années d'occupation, les officiers allemands y sablèrent joyeusement le champagne et, après une interruption, Maxim's, dans les années 60-70, retrouva tout son prestige. On pouvait y apercevoir le même soir, assis côte à côte sur la banquette dite « royale », Onassis et la Callas, le duc et la duchesse de Windsor, la maharani de Baroda, toujours couverte de diamants, et Grace et Rainier de Monaco.

Albert, le ventripotent directeur de salle, plaçait chacun en fonction de sa célébrité, de sa fortune, et posait sur ceux qu'il ne connaissait pas un regard glacé, propre à les faire rentrer sous terre.

Puis, peu à peu, les grands de ce monde se firent plus rares, préférant dîner les uns chez les autres. Les dîners en cravate noire du vendredi perdirent beaucoup de leur lustre et un nouveau public, beaucoup plus mélangé, commença à débarquer chez Maxim's où l'on vit même des groupes de touristes japonais, attablés à sept heures du soir, dans une salle encore vide.

Quand, au début des années 80, Louis Vau-

dable, propriétaire de Maxim's depuis près d'un demi-siècle, décida de passer la main, on se demanda s'il se trouverait quelqu'un d'assez fou pour reprendre un monument aussi menacé, avec ses cent dix employés, sa cave de deux cent mille bouteilles, ses charges énormes et ses cuisines préhistoriques, à peine dignes d'un vieux cargo panaméen.

Ce fou existait. Il était d'ailleurs déjà un des actionnaires de la société et son nom valait de l'or : Pierre Cardin.

En reprenant Maxim's, le célèbre couturier voulait à la fois se faire plaisir et redonner à Paris le sens de la fête. Il commença par un grand nettoyage (l'établissement en avait besoin : Bocuse, qui avait jadis travaillé dans les cuisines, y avait même chassé le rat !) et en 1982 c'est un Maxim's rhabillé des pieds à la tête que découvrirent les invités de Pierre Cardin, au cours d'une fastueuse réception inaugurale.

Dans la grande salle du rez-de-chaussée, où se trouvent l'orchestre et la « banquette royale » (cinq tables numérotées de 16 à 20), l'admirable verrière 1900 du plafond et les peintures murales,

ornées de créatures lascives à demi nues, avaient retrouvé leur transparence et leurs couleurs. Le premier étage, surnommé l'Impérial, et où se dresse le bar, était entièrement refait dans le style de l'époque ; au deuxième étage, dans les salons, réservés aux dîners privés, cocktails et réceptions, tout était redécoré comme en 1900, avec un souci extraordinaire du détail : bar d'acajou, vitraux sur le thème de la glycine, corniches polychromes, miroirs biseautés, lumières roses et, sur les murs, des grappes de dames nues prenant des bains de rivière, garantis d'époque.

Du jour au lendemain, Maxim's est redevenu un phare de la vie parisienne. Le vendredi, la tenue de soirée est de rigueur et souvent Pierre Cardin donne de grandes fêtes en l'honneur de ses amis de l'opéra, de la danse, du cinéma ou de la peinture. Les déjeuners, jadis désertés, sont parmi les plus animés de Paris et s'il y a une majorité d'hommes, comme partout, on y rencontre aussi, heureusement, beaucoup de femmes, ce qui change agréablement des sinistres repas d'affaires cent pour cent masculins.

Au déjeuner, d'ailleurs, c'est la salle « côté jardin » — une sorte de jardin d'hiver dont la verrière donne sur la rue Royale — qui a le plus de succès car, de jour, c'est la plus claire et la plus gaie. Le soir, au contraire, c'est dans la « grande salle », sous la verrière, qu'il faut essayer d'obtenir une table (réserver au moins une semaine à l'avance). Les célébrités sont placées sur la fameuse « banquette royale », les un peu moins célèbres sur le « côté gauche » et les autres à droite et au milieu devant l'orchestre. Un orchestre de six musiciens dont la spécialité est d'interpréter les airs à la mode dans un style inimitable qui donne au rock un rythme de valse lente...

Si l'on songe que Maxim's sert fréquemment près de cinq cents couverts par jour, on ne peut qu'admirer la rapidité et la précision du service assuré par dix maîtres d'hôtel, quatorze garçons, dix-sept commis et six sommeliers, sous la direc-

Malgré la « révolution culinaire » engagée à la Tour d'Argent par Dominique Bouchet, le célèbre canard « numéroté » reste toujours au menu.

tion d'un nouveau et jeune directeur, qui, contrairement à l'illustre Albert, reçoit avec le même sourire les inconnus ou les gens célèbres.

Maxim's est sans doute le restaurant de France où l'on sert le plus de champagne. La bouteille, dans son seau à glace, est d'ailleurs placée d'office sur les tables, mais ne vous laissez pas impressionner et si vous préférez le vin sans bulles, sachez que la cave recèle les meilleurs crus (certains à des prix époustouflants) mais aussi de petits vins à des prix assez raisonnables. Quant à la cuisine, elle n'a jamais été l'attrait principal de Maxim's et, bien que le chef, Michel Menant, ne manque pas de talent (sur commande, il peut préparer des repas exquis), le caractère composite de la carte, où se trouvent pêle-mêle des plats style vieille cuisine de palace (selle de veau Orlov, faisan Souvarov), d'autres «bourgeois» (bœuf en gelée), d'autres encore d'inspiration plus ou moins moderne (ce ne sont pas les plus réussis) donne à la cuisine de Maxim's un caractère assez hétéroclite. Et il est bien évident que le nombre de couverts servis n'arrange pas les choses. La sagesse, en tout cas, est de commander des plats aussi simples que possible (le homard tiède, à la nage, par exemple, est une merveille). Ne comptez toutefois pas sur eux pour faire des économies. Un voyage à la Belle Époque n'a pas de prix et chez Maxim's les billets de cinq cents francs filent aussi vite que les bulles de champagne.

La Tour d'Argent subit, elle aussi depuis peu, une revigorante cure de rajeunissement. Pendant des années, son propriétaire, Claude Terrail, qui, avec sa fleur à la boutonnière et ses costumes coupés à Londres, pouvait jouer les arbitres des élégances, s'est refusé énergiquement à changer quoi que ce soit à sa cuisine. Persuadé sans doute qu'elle était la meilleure du monde, il ne voyait pas la nécessité de faire évoluer une carte — d'ailleurs somptueuse, sous sa couverture argentée — tout entière dédiée à une cuisine si riche et si compliquée que, parfois, on se demandait ce que l'on mangeait.

Finalement, s'apercevant que la Tour d'Argent risquait d'être définitivement distancée par ses concurrents, il a donné, tout récemment, carte blanche à son jeune et nouveau chef, Dominique Bouchet. Celui-ci a accompli une véritable révolution dans cette maison qui revendique l'honneur d'avoir été fondée en 1582 et où l'on aurait même vu apparaître pour la première fois en France de bizarres instruments de table, baptisés fourchettes.

La majorité des plats aux noms ronflants qui se prélassaient dans leurs sauces riches ont disparu au profit d'une cuisine pleine de délicatesse et de finesse, représentée par exemple par un merveilleux pâté de homard en gelée à la truffe, des langoustines poêlées aux artichauts à l'huile de noisette, du saumon rôti à la moelle de bœuf, un remarquable gigot d'agneau cuit pendant plusieurs heures avec des légumes et que l'on mange à la cuillère, ou un vieux plat dont Bouchet a retrouvé la recette et qui est sans doute son chef-d'œuvre : des filets de canard saignants plongés dans un bouillon fortement relevé et accompagnés de pommes soufflées.

Le raz de marée qui a balayé la carte a néanmoins épargné le fameux «canard Tour d'Argent» dont depuis près d'un siècle la renommée a fait le tour du monde. Ce fut en effet vers 1890 que Frédéric, ancien maître d'hôtel devenu patron du restaurant, eut l'idée de préparer le canard en deux services : d'abord les filets nappés d'une sauce préparée avec le sang de l'animal, ensuite les cuisses en grillades. Mais son coup de génie fut surtout d'imaginer de les numéroter et d'offrir aux clients une carte portant le numéro correspondant au canard servi. En 1900, le grand-duc Wladimir de Russie mangera le canard n° 6043 ; le 16 mai 1948, Elisabeth d'Angleterre eut droit au numéro 185387 et si vous y allez dîner aujourd'hui, vous verrez que l'on se rapproche du numéro 700000.

C'est le père de Claude Terrail, André, qui, dans les années 1930, transporta le restaurant du rez-de-chaussée au sommet de l'immeuble où il se trouve toujours aujourd'hui et d'où la vue sur la Seine et, le soir, Notre-Dame de Paris illuminée arrache, chaque fois, des cris d'admiration aux visiteurs qui débarquent là pour la première fois (réservez suffisamment à l'avance pour tenter d'obtenir une table dans «la rotonde», près de la verrière).

Dans les salons du rez-de-chaussée, où se trouvait le restaurant dont les superbes boiseries d'origine sont toujours en place, Claude Terrail a tenu à exposer les souvenirs historiques de la maison qui vous tiennent compagnie tandis que vous buvez un verre avant de grimper dans l'ascenseur qui vous conduira au sommet. Il y a des vitrines ornées d'instruments de table et de cuisine (une fourchette du XVIᵉ siècle, un moulin à café du XVIIᵉ, un verre de l'impératrice Élisabeth Iʳᵉ de Russie, etc.), une collection superbe de menus anciens, les autographes de clients célèbres, d'Eisenhower à l'empereur du Japon et, dressée avec sa nappe, ses assiettes et toute sa décoration, la table du «dîner des trois empereurs» qui réunit, le 7 juin 1867, le tsar de Russie Alexandre II, son fils le tsarevitch Alexandre, le roi de Prusse Guillaume II et le prince de Bismarck.

Pour achever sa soirée en beauté, la tradition veut que l'on aille déguster son verre de vieux cognac ou d'armagnac dans les caves. Près de deux cent mille bouteilles dorment à quelques mètres du lit de la Seine et, dans cet environnement impressionnant, on assiste à un authentique petit «son et lumière», commenté par Claude Terrail, tandis qu'un faisceau éclaire tour à tour les flacons les plus précieux de sa collection, un château-citran 1855, un château-d'yquem 1871, un chambertin 1865 ou une fine champagne 1797.

C'est ici même qu'avant la dernière guerre mondiale le milliardaire Pierpont Morgan fit sub-tiliser par des James Bond de l'époque deux bouteilles de fine Napoléon pour lesquelles il avait offert sans succès une petite fortune à Terrail. A la place, celui-ci trouva une lettre d'excuses et un chèque en blanc. Beau joueur, il le retourna à Pierpont Morgan qui conserva ses bouteilles. En tout cas, la Tour d'Argent est sûrement le seul endroit au monde où un milliardaire — et lequel ! — ait jamais organisé un hold-up.

De tous les restaurants qui, sous la Révolution et sous Napoléon Iᵉʳ, fleurirent tout autour des jardins du Palais-Royal, un seul subsiste mais c'est sans doute l'un des plus gracieux du monde : le Grand Véfour. Disons plutôt qu'il vient de ressusciter, car, encore tout récemment, on se posait des questions sur son avenir.

Pendant les jours les plus sombres de la Terreur, le Grand Véfour avait été le rendez-vous favori des contre-révolutionnaires. Un peu plus tard, le jeune général Bonaparte en devint un client régulier et jusqu'à la fin du XIXᵉ siècle, on y vit défiler toutes les célébrités, du grand gastronome Brillat-Savarin jusqu'à Victor Hugo. Ensuite, l'établissement périclita, devint un misérable café de quartier et ce ne fut qu'à partir des années 1950 qu'un cuisinier originaire de la région de Bordeaux, Raymond Oliver, lui restitua un peu de sa splendeur passée.

Jean Cocteau et Colette y vinrent fréquemment en voisins et rapidement le Grand Véfour accéda au rang de restaurant à la mode. Plus tard, grâce à la télévision qui lui offrit une émission culinaire hebdomadaire, Raymond Oliver devint le cuisinier le plus célèbre de France, battant même dans les sondages Paul Bocuse. Comme celui-ci, d'ailleurs, Oliver prit l'habitude d'être de moins en moins souvent chez lui, de ne presque plus faire la cuisine que devant les caméras, et peu à peu la réputation gastronomique du Grand Véfour déclina, tandis que de son côté le décor se fanait et se détériorait d'une manière inquiétante.

Jean-Paul Bonin agit en chef d'orchestre aux cuisines des Ambassadeurs, le célèbre restaurant de l'hôtel Crillon.

Frappé par la maladie, Raymond Oliver se décida à vendre. Il eut la chance de tomber sur Jean Taittinger (la famille du champagne et de la chaîne des hôtels Concorde) qui, déjà propriétaire du somptueux hôtel du Crillon, s'est toujours intéressé aux lieux historiques. Sous la surveillance de l'administration des Beaux-Arts, il a entièrement restitué à ce merveilleux restaurant son décor d'origine dont les deux chefs-d'œuvre sont le plafond peint de l'époque Restauration et, sur les murs, les peintures sous verre représentant des allégories et datant de Napoléon III.

Il règne là une atmosphère à la fois de préciosité et de gaieté qui fait des déjeuners et des dîners un véritable enchantement. Vous avez vraiment l'impression d'avoir changé de siècle.

La cuisine, elle aussi, a pris un coup de jeune, grâce à l'arrivée d'un nouveau chef, André Signoret, qui, sans être un moderniste à tout crin, a su renouveler entièrement le répertoire de la maison. Il prépare une cuisine légère dont le succès a été immédiat car le Grand Véfour a retrouvé aussitôt sa belle clientèle parisienne qui s'y faisait de plus en plus rare. Certes, on n'y mange pas aussi divinement que chez Robuchon, mais une cuisine agréable (morue au céleri et au laurier, bar à la moutarde accompagné de chips de fenouil, filet d'agneau dans un gâteau de pommes de terre,

rognons et ris de veau au citron) plus un décor exceptionnel ne peuvent que produire un succès légitime.

Ne quittons pas la famille Taittinger avant d'avoir dit quelques mots du Crillon, dont le restaurant est lui aussi une sorte de monument historique. Sa réputation est en fait très récente puisqu'il y a encore quelques années ce palace ne possédait qu'un grill-room. On a eu l'idée d'aménager en restaurant un grand salon, dit «des Ambassadeurs», dont les marbres et les peintures en trompe-l'œil en font l'un des chefs-d'œuvre de l'architecte Gabriel, lequel, sous Louis XV, construisit la place de la Concorde et les palais qui la bordent.

Un excellent chef, Jean-Paul Bonin, a remplacé la vieille cuisine ennuyeuse qui était jadis celle du Crillon par une cuisine plus moderne, plus inventive et plus légère (rouget à la vapeur de basilic et farci à la tomate, gelée de langoustines aux choux, homard aux truffes, agneau au miel et au gratin de courgettes, desserts nombreux et particulièrement bons).

L'Hôtel Ritz, autre survivant historique, auquel le célèbre chef Escoffier apporta au début de ce siècle une renommée culinaire mondiale — bien évanouie par la suite — est encore très attaché à la vieille cuisine de palace et ne soutient pas la comparaison avec le Crillon. Néanmoins, la nouvelle salle à manger, ouverte devant le jardin intérieur, connaît un vif succès, ce qui prouve bien qu'il y a toujours un public pour ces grandes maisons que l'on a cru un moment appelées à disparaître.

C'est d'ailleurs ce qui faillit arriver, il y a peu de temps, à Lucas-Carton, sauvé de justesse par le propriétaire du cognac Rémy-Martin et du champagne Krug. Déjà réputé à la fin du XIXᵉ siècle, il était dans les années 1900 le rendez-vous favori des vedettes de la politique et de la haute finance

31

qui faisaient des repas très sérieux dans la salle à manger entièrement décorée de boiseries Art nouveau de l'école de Majorelle et remontaient discrètement dans les petits salons particuliers du premier étage pour y sabler le champagne en compagnie de demoiselles beaucoup plus amusantes que leurs interlocuteurs précédents.

C'est chez Lucas-Carton que le 10 novembre 1918 Foch, Joffre, Pershing et French fixèrent, au cours d'un déjeuner, l'heure de l'armistice pour le lendemain. Par la suite, Churchill eut l'occasion, plusieurs fois, d'apprécier la fameuse bécasse au foie gras et flambée au cognac qui faisait la célébrité de la maison.

Après la Seconde Guerre mondiale, Lucas-Carton était encore une grande maison mais de plus en plus désertée par le public. Il y avait toutefois là un remarquable cuisinier, Mars Soustelle, qui avait formé des jeunes — encore inconnus — nommés Paul Bocuse, Jean Troigros, Alain Senderens... Et quand parut en 1963 le premier guide *Gault-Millau*, Lucas-Carton, dont plus personne ne parlait, se retrouva à la première place des restaurants de Paris. Avec un texte très louangeur, la vieille maison de la place de la Madeleine repartit pour la gloire. Le Tout-Paris lui redevint fidèle et, dans ses caves d'une richesse fabuleuse, le propriétaire Alex Allégrier organisait pour les intimes d'extraordinaires repas à la chandelle où l'on servait des romanée-conti 1937 et de la vieille chartreuse 1900.

Après la mort du chef Soustelle, la qualité de la cuisine commença à décliner et lorsqu'au début de 1985 la vente fut conclue, il n'y avait plus que quelques rares et vieux clients à fréquenter ce lieu poussiéreux.

La vente avait d'ailleurs bien failli rater. L'acheteur avait, en effet, affirmé son intention d'installer là Alain Senderens et, l'apprenant, la famille Allégrier avait opposé un non catégorique, sous le prétexte qu'un ancien petit employé (Senderens) ne pouvait revenir là comme patron !

Finalement tout s'arrangea et, après quelques mois de travaux, Senderens ouvrit les portes d'un Lucas-Carton entièrement remis à neuf et redevenu un des plus beaux établissements de Paris, avec ses merveilleuses boiseries, dont la blondeur avait ressuscité, ses banquettes moelleuses, son éclairage doux et charmeur et ses petits salons, au premier étage, redécorés dans des couleurs fraîches.

Pendant des années, Senderens, dont la célébrité ne cessait d'augmenter, s'était demandé s'il arriverait jamais à quitter son petit restaurant inconfortable de la rive gauche. Et voilà que par un coup de chance formidable il a pu réaliser son rêve et en même temps ressusciter l'un des plus attachants et les plus exquis monuments de la restauration française.

Il faut croire d'ailleurs que le public est aussi sensible à l'esthétique d'un décor qu'à la qualité d'une cuisine. Il a suffi, en effet, que Senderens s'installe chez Lucas-Carton pour que l'on voie débarquer une clientèle élégante et raffinée qui apparaissait rarement auparavant, chez lui, à l'Archestrate. Désormais, le plaisir est complet et le

Louis Majorelle conçut un luxueux décor Art Nouveau pour le restaurant Lucas-Carton à Paris.

contentement que procure une belle salle s'ajoute aux délices d'une table qui est parmi les plus créatives du moment.

Nous parlons ailleurs de ce qu'Alain Senderens a apporté à la cuisine moderne, mais allant dîner chez Lucas-Carton, après avoir réservé votre table deux semaines à l'avance, il est important de savoir ce qui vous y attend. Des deux salles qui communiquent entre elles, aucune n'est privilégiée, et l'on ne peut pas dire qu'il y ait de mauvaise table. Eventhia, la femme d'Alain, jolie, élégante, un peu timide, vous accueille à l'entrée, mais quelquefois c'est un maître d'hôtel qui le fait à sa place, ou bien la dame du vestiaire, et ce manque de rigueur dans la réception est incontestablement une faiblesse. Quoi qu'il en soit, dès que vous êtes assis, un personnel nombreux et extrêmement efficace vous entoure jusqu'à la fin, sans cérémonie inutile ni ronds-de-jambe agaçants.

La cuisine, par ses goûts souvent audacieux, n'est pas toujours comprise par ceux qui la dégustent pour la première fois. Mais la carte est suffisamment ouverte pour contenter tout le monde. Si, par exemple, vous êtes allergique à la cuisine moderne, vous pouvez toujours commander une des meilleures côtes de bœuf qui se puissent trouver à Paris. Senderens l'accompagne de pelures de pommes de terre qu'il traite comme des frites à l'huile, et c'est merveilleux. Mais il serait dommage de passer à côté de plats aussi délicieux que le millefeuille de foie gras de canard au céleri et aux pommes fruits, les raviolis de pétoncles aux courgettes, le saumon chaud légèrement fumé et poché aux asperges, le pigeon désossé et servi avec un ragoût de poivrons, la langouste aux poireaux, le ris de veau aux champignons sauvages ou le canard apicius, rôti au miel.

Senderens, qui veut réconcilier la bonne cuisine et la santé, a banni de son répertoire les sauces qu'il remplace le plus souvent par des jus de cuisson ou de liaison à base de légumes et, sans les supprimer tout à fait, il ne met jamais dans ses

Taillevent est situé dans un hôtel particulier qui appartenait jadis au demi-frère de Napoléon III.

plats un gramme de matière de plus qu'il n'est nécessaire. D'où des repas tout en finesse qui vous laissent partir l'estomac léger.

Et également le portefeuille... Les prix sont en effet à peu près au niveau de chez Maxim's, qui est le voisin le plus immédiat de Senderens. Les additions deviennent même terrifiantes pour peu qu'on se laisse entraîner par les grands vins d'une cave extrêmement bien fournie. Il y a quelque temps, un client californien a réglé une addition de cinq mille cinq cents dollars... rien que pour les vins. Il est vrai que pour une table de huit, il avait commandé du château-d'yquem 1947, du lafite-rothschild 1945 et du pétrus 1953, trois des plus grands millésimes du siècle.

Taillevent ne peut se glorifier d'un passé aussi ancien que celui de Lucas-Carton. Lui aussi, pourtant, est un monument. Créé au lendemain de la dernière guerre par André Vrinat dans un hôtel particulier qui avait appartenu au duc de Morny, le demi-frère de Napoléon III, ce luxueux restaurant prit comme enseigne le nom du premier cuisinier français, Guillaume Tirel, dit Taillevent, qui au Moyen Age ait publié un ouvrage de recettes. Pendant longtemps, l'établissement fut surtout célèbre par la richesse de sa cave: cent trente mille bouteilles, parmi lesquelles des pièces de collection comme le romanée-conti 1899, le château-d'yquem 1869 ou le lafite-rothschild 1806. Aussi célèbre aux États-Unis que Lasserre, né à peu près en même temps que lui, il aurait connu sans doute le même vieillissement et la même — relative — éclipse si à André Vrinat n'avait succédé son fils Jean-Claude qui, vers 1975, apporta à Taillevent un sang neuf et en fit rapidement un des meilleurs restaurants de France.

Au départ, Jean-Claude Vrinat ne voulait pas être restaurateur et ne connaissait d'ailleurs rien à la cuisine. Il venait de sortir de HEC quand son père lui demanda de le rejoindre. Sans devenir lui-même cuisinier, il étudia son nouveau métier avec une telle passion qu'il transforma complètement le style archi-classique de la maison. Il envoya son chef, Claude Deligne, suivre des stages chez les frères Troisgros à Roanne et à Crissier, en Suisse, chez Fredy Girardet, et aujourd'hui encore il n'est pas un nouveau plat à la création duquel il ne participe.

Son professionnalisme explique l'ascension de Taillevent, l'un des très rares grands restaurants

Dans son rouget à l'orientale, Alain Senderens prépare les quenelles avec des aubergines, de l'huile d'olive et des anchois.

de France dont le patron n'est pas lui-même cuisinier. Modeste — il considère que la cuisine de Robuchon est supérieure à celle de Taillevent — il apporte à chaque détail un soin extrême et mérite certainement le titre de «premier restaurateur de France».

Pour obtenir une table chez Taillevent — surtout le soir — il faut s'y prendre plusieurs semaines à l'avance et la demande étrangère est telle que cela lui pose de gros problèmes avec sa clientèle française régulière. Un grand journal américain a même parlé à ce propos de «politique d'apartheid»!

Vrinat prend simplement soin de composer ses salles de telle façon qu'il y ait un mélange équilibré de toutes les clientèles. Que dirait, en effet, un Américain ou un Japonais s'il ne voyait autour de lui que des Américains ou des Japonais? La composition d'une salle est tout un art et Jean-Claude Vrinat, qui accueille chaque client avec la même gentillesse, y réussit admirablement.

Les tables sont dressées dans deux salles communiquant l'une avec l'autre et jamais plus de cent couverts ne sont servis le même soir, afin que chaque client puisse être traité comme il convient. Le décor est sobre mais très élégant, avec ses boiseries sculptées, ses tableaux anciens et son éclairage bien étudié, doux mais précis. Le service est parfait, sans la moindre obséquiosité, et chaque repas chez Taillevent constitue une fête.

La cuisine, d'ailleurs, ne cesse de progresser. Moins audacieuse que celle de Senderens, elle est infiniment plus originale que celle de Lasserre — on a longtemps mis les deux maisons sur un pied d'égalité — et s'il fallait la caractériser, on dirait qu'elle est un parfait exemple de «nouveau classicisme», avec des plats délicieux tels que les langoustines rôties au beurre d'orange, les rougets aux olives noires, le pot-au-feu de poissons et de crustacés, le canard à l'aigre-doux accompagné d'un paillasson de pommes de terre aux champignons, le rognon de veau aux échalotes

confites, le salmis de pigeonneau à la moelle de bœuf et les desserts, toujours délicieux.

Avec sa femme Sabine, Jean-Claude parcourt chaque année, pendant leurs vacances, les vignobles de France pour renouveler une carte des vins qui ne se contente pas d'aligner les noms célèbres. On y trouve, en effet, des bordeaux et des bourgognes autour de cent francs qui permettent aux additions de rester dans des limites raisonnables. Taillevent a d'ailleurs, à son niveau, un des meilleurs rapports qualité/prix de Paris. Mais si vous voulez vous offrir un grand bordeaux âgé de cinquante ans ou plus, il suffit de le demander.

A ces «monuments», il faut ajouter quelques autres restaurants parisiens. Par exemple, sur les quais de la Seine, le vieux et ravissant Lapérouse qui avait failli, lui aussi, sombrer. La cuisine n'y est pas d'une qualité exceptionnelle mais suffisamment honorable pour remplir à nouveau les petites salles à manger et les salons particuliers aux plafonds bas dont les miroirs portent encore les signatures, gravées à la pointe de diamant, des cocottes de la Belle Époque qui y soupaient en compagnie de leurs riches protecteurs.

Dans les jardins des Champs-Élysées, en face de l'Élysée, deux autres restaurants, vieux de plus d'un siècle, ont récemment ressuscité: Laurent, que le milliardaire anglais Jimmy Goldsmith a coûteusement fait redécorer et qui constitue un des grands rendez-vous du monde de la politique et des affaires; et, un peu plus loin, le Pavillon de l'Élysée, repris et transformé par un promoteur immobilier qui y a installé le célèbre pâtissier-traiteur Gaston Lenôtre.

Enfin, il n'est pas une visite complète de Paris sans un déjeuner ou un dîner au deuxième étage de la tour Eiffel où l'on a ouvert un restaurant de luxe, de toute beauté, le Jules Verne, qui connaît un immense succès. La cuisine est excellente et la vue sur la capitale à vous couper le souffle.

ROUGET A L'ORIENTALE

BAYLI :

Rondelles de tomates, courgettes, aubergines
intercalées, parsemées de fleurs de thym.
Faire cuire au four sur une fine couche de feuilletage
avec un filet d'huile d'olive dessus.

QUENELLES D'OLIVES :

1 aubergine cuite au four
8 olives noires
2 filets d'anchois
   filets de rouget
   foies de rouget sautés à l'huile d'olive
4 tomates confites à l'huile d'olive
150 g de purée persil

Frire les feuilles d'un pied de céleri branches.
Faire cuire une tomate concassée au safran et passer
au tamis.
Poêler les 12 petits filets de rouget à l'huile d'olive.
Dresser l'assiette (voir photo page 34).

36

SUPRÊMES DE VOLAILLES
AU FOIE GRAS

4 beaux suprêmes levés sur deux belles poulardes
   de Bresse
160 g de foie gras de canard
100 g de mie de pain bien blanche
150 g de beurre clarifié

POUR LA SAUCE :

100 g de carottes	100 g de champignons
50 g d'échalotes	1 bouquet garni
100 g d'oignons	1 dl de Noilly
50 g de céleri-rave	1 litre de fond brun de volailles
1 gousse d'ail	1 dl de crème fraîche

CONFECTION DE LA SAUCE :

Concasser les carcasses de volailles (les cuisses seront
réservées pour une autre utilisation).

Dans une casserole, faire revenir au beurre ces carcasses, ajouter les légumes en mirepoix. Lorsque l'ensemble a pris une belle couleur blonde, égoutter dans
une passoire. Remettre dans la casserole, déglacer avec le
Noilly, réduire presque à glace, ajouter le fond brun de
volailles et le bouquet garni. Saler, poivrer légèrement.
Cuire doucement pendant 45 minutes en la dépouillant
de temps en temps. Passer la sauce au chinois étamine,
ajouter la crème fraîche, réduire de moitié.

Séparer les manchons des suprêmes, enlever la peau
de ces derniers. Dénerver les filets mignons, les aplatir
légèrement.

Inciser les suprêmes sur leur longueur, les farcir avec
deux petites escalopes de foie gras. Refermer l'ouverture
avec les filets mignons.

Saler, poivrer les suprêmes et les manchons, les faire
cuire 6 minutes à la vapeur. Les laisser refroidir 2 minutes
puis les paner dans du beurre clarifié et ensuite dans la
mie de pain.

Finir la cuisson en les passant dans une poêle dans
laquelle on aura mis le restant du beurre clarifié.

Placer sur assiette avec un cordon de sauce autour, le
restant de la sauce à part en saucière.

Servir en garniture un petit millefeuille de légumes.

*Suprême de volaille au foie gras. Préparation de Claude
Deligne au Taillevent. Sauce préparée, entre autres, avec
échalotes, céleri-rave, champignons, vermouth sec et un
riche bouillon de poulet.*

DIX ANS APRÈS,
OÙ EN SONT LES PÈRES FONDATEURS
DE LA "NOUVELLE CUISINE"?

Chapitre

2

Un matin de l'automne 1976, un conciliabule secret se tient, toutes portes fermées, dans un salon du luxueux hôtel que Michel Guérard vient récemment d'aménager à Eugénie-les-Bains, dans les Landes. Les plus grandes vedettes de la cuisine française sont là. L'homme qui parle et vers qui tous les regards convergent a le masque d'un empereur romain guetté par l'embonpoint. Il s'appelle Paul Bocuse. Son nom a déjà fait le tour du monde et nul ne lui conteste le titre de «premier ambassadeur de la cuisine française». Avec quelques autres chefs, il vient de fonder la société de la Nouvelle Grande Cuisine Française, dont, bien entendu, il a été nommé aussitôt président, à l'unanimité. Le but de cette société, qui tient ici sa première assemblée, est de promouvoir par tous les moyens la «nouvelle cuisine», lancée trois ans plus tôt par le magazine *Gault-Millau* et dont le renom a largement franchi les frontières de la France.

Bocuse est le chef incontesté de la «bande» dont chaque membre est un ami. Il y a là Roger Vergé, du Moulin de Mougins, les frères Trois-gros, de Roanne, le pâtissier Gaston Lenôtre, de Paris, l'Alsacien Paul Haeberlin, d'Illhaeusern, Alain Chapel, de Mionnay, Louis Outhier, de La

Napoule, René Lasserre, le propriétaire du grand restaurant parisien et enfin le benjamin de tous, Michel Guérard. Tous sont célèbres et, à part René Lasserre, dont on peut se demander ce qu'il fait là car, de tempérament très traditionaliste, il reste hermétiquement fermé à tout changement, on peut dire que ces hommes, dans la force de l'âge, sont bien les symboles de la nouvelle gastronomie.

Dix ans ont passé. La «nouvelle grande cuisine française» ne tient plus de réunion. La société a disparu et les jeunes pères de la cuisine moderne en sont devenus un peu les ancêtres. Certes, leurs maisons comptent toujours parmi les plus populaires de France, mais elles ne sont plus les seules à occuper le devant de la scène et toutes n'ont pas évolué de la même façon. Allons donc leur rendre visite aux quatre coins de la France.

A quinze minutes de voiture du centre de Lyon, le restaurant Paul Bocuse est toujours un lieu de pèlerinage où l'on accourt du monde entier. Coincée entre la voie de chemin de fer et la Saône, cette grande bâtisse, sans style particulier, a subi beaucoup de changements depuis les années 1950 quand le jeune Bocuse, qui venait de passer plusieurs années d'apprentissage chez le célèbre Fernand Point à Vienne, ainsi que chez Maxim's et Lucas-Carton à Paris, a pris la succession de son père. Celui-ci, qui tenait un modeste bistrot où il servait de la friture aux pêcheurs du

On voit ici le vrai Paul Bocuse devant un tableau «photo-réaliste» peint par l'artiste Olivier Hucleux, et à côté d'une sculpture en bronze de Daniel Druet. Paul Bocuse est le grand ambassadeur de la nouvelle cuisine française.

dimanche, ne se trouvait pas, en vérité, au même emplacement mais à quelques centaines de mètres de là, au bord de la rivière.

Bocuse parle encore avec nostalgie de l'auberge familiale où, depuis le XVIIIe siècle, on s'était succédé de père en fils. Mais, il est plus rare de l'entendre dire, comme dans le passé: «Le vrai bonheur, ç'aurait été de rester là et de faire à manger pour vingt personnes.» Toutes proportions gardées, Bocuse est presque devenu une entreprise multinationale et il n'est plus question pour lui de faire marche arrière.

Au contraire, poussé par le succès, il n'a pas eu d'autre choix que d'agrandir sa maison et de la rendre chaque année un peu plus spectaculaire. S'il avait été musicien, Bocuse aurait été plutôt Verdi que Mozart. Plus sensible au grand spectacle qu'à l'intimité raffinée, il a mis en scène son restaurant comme on le ferait d'un opéra.

Au pied des marches, un jeune Noir en uniforme rouge a même été, pendant un moment, chargé d'ouvrir les portières des voitures et de conduire à travers le jardin les clients jusqu'à la grande entrée au-delà de laquelle on aperçoit, par une baie vitrée, de vastes et splendides cuisines où s'activent une vingtaine de personnes. A la porte de la salle à manger, jusqu'à une période récente, vous accueillait d'un grand sourire Raymonde, la gracieuse épouse de Paul qui, à présent, n'apparaît plus qu'épisodiquement. Pour la remplacer, Bocuse a eu l'idée, pour le moins originale, d'engager un cuisinier...

Joël Fleury, qui était le chef de l'hôtel Frantel de Lyon, a en effet accepté de troquer sa veste blanche pour le costume sombre de directeur de salle et, bien qu'il fasse son nouveau métier avec beaucoup de gentillesse, certains s'interrogent sur la raison de ce choix. On murmure que Bocuse lui céderait un de ces jours sa maison, mais pour l'instant il n'y a rien d'officiel et c'est donc Joël Fleury qui vous confiera au maître d'hôtel, responsable de votre table. Il existe une grande salle à manger au premier étage, mais elle est généralement occupée par les repas de groupes, et c'est au rez-de-chaussée que l'on vous assied, soit dans la salle à manger principale, soit dans la rotonde vitrée d'où l'on aperçoit, au-delà des arbres, le cours rapide de la Saône.

Bocuse a confié la responsabilité de la cuisine à Roger Jaloux, comme lui un ancien «meilleur ouvrier de France» et dans la maison depuis des années. «Je n'ai plus rien à lui apprendre», a dit un jour Bocuse, ajoutant même: «Jaloux n'a plus besoin de Bocuse». Cette situation serait évidemment délicate s'il avait été un de ces cuisiniers découvreurs qui n'arrêtent pas de mettre au point de nouveaux plats et d'inventer de nouvelles combinaisons de saveurs. Mais, en fait, il a toujours été un traditionaliste, comme le sont la plupart des Lyonnais, et s'il a joué un rôle dans le mouvement de la «nouvelle cuisine», ce fut beaucoup moins comme cuisinier que comme figure de proue et animateur.

Son principal mérite fut d'être le premier à remettre à l'honneur, dans un grand restaurant, les plats les plus simples et qu'il savait faire mieux que personne, comme une salade de haricots verts croquants, des rougets de roche très peu cuits, un poulet de Bresse à la broche ou même un divin potage poireaux-pommes de terre. Il a eu le courage — le coup de génie — de débarrasser la «grande cuisine» de ses complications inutiles et de ses sauces lourdes pour les remplacer par des plats qui laissaient aux produits leur goût naturel. A cet égard, il a été un novateur, mais dans le domaine de la création personnelle il n'a rien laissé de marquant qui soit comparable aux trouvailles d'un Guérard, d'un Senderens, d'un Maxim's, d'un Chapel et de bien d'autres.

Ses deux plats les plus célèbres sont la soupe de truffes «Valéry Giscard d'Estaing» et le loup en croûte. Le premier est dérivé d'une très ancienne spécialité d'Haeberlin et le second est une recette de son maître, Fernand Point.

On aurait donc tort d'aller chez Bocuse avec l'idée d'y trouver une cuisine imaginative et résolument moderne. Les plats qui s'inscrivent dans cette tendance et qu'il arrive à Roger Jaloux de mettre à sa carte (comme le turbot aux ravioli de homard à la truffe et à la ciboulette ou le ris de veau à la coriandre et aux girolles) ne sont pas les plus intéressants. Là où il excelle, c'est dans des plats apparemment tout bêtes et franchement rustiques comme la fameuse salade de haricots verts ou le poulet aux petits pois, mais aussi la soupe de grenouilles et d'écrevisses au cresson, les asperges vertes servies avec une étonnante vinaigrette au beaujolais et à la moutarde, le merveilleux pot-au-feu de canard au gros sel, qu'il accompagne d'une autre vinaigrette tout aussi exceptionnelle et cette fois à l'huile de noix, le canard aux navets et aux olives vertes, les macaroni au gratin, la crème brûlée, la divine glace à la vanille et la non moins admirable glace au chocolat amer.

En fait, Bocuse est le meilleur restaurant de «cuisine bourgeoise» de France et une fois qu'un de ces plats a été bien mis au point il n'y a aucune raison pour que Roger Jaloux ou un autre ne les réussissent parfaitement.

Pensez donc à tout cela en lisant la carte qui se divise en trois parties, assez confuses: «la carte Paul Bocuse», «la cuisine de tradition» et «la cuisine d'aujourd'hui». Mangez bourgeois, et vous serez ravi! D'ailleurs le maître d'hôtel vous pousse plutôt à boire les beaujolais que Georges Dubœuf sélectionne pour son ami Paul. Ils sont excellents et permettent de dépenser chez Bocuse moins que dans la plupart des grands restaurants.

Ne partez pas sans avoir demandé à visiter, dans une annexe toute proche, l'immense salle où Bocuse, qui les collectionne, a installé un fabuleux orgue mécanique animé de personnages. Et si lui-même vous fait la faveur de le mettre en marche, alors vous vivrez un grand moment. Le cirque et la fête, c'est ce que Bocuse aime par-dessus tout.

Restaurant familial modeste à ses débuts, Troisgros s'est considérablement développé. Pierre Troisgros et son fils Michel ne manquent jamais d'apporter de fraîches innovations au style familial.

C'est au cours d'une première visite chez Paul Bocuse, en 1964, que celui-ci nous apprit l'existence de deux frères cuisiniers, paraît-il formidables et encore fort peu connus: Jean et Pierre Troisgros. «Puisque vous avez aimé mes haricots verts, dit-il, allez donc à Roanne. Vous y trouverez une cuisine selon votre cœur.»

Jamais l'idée ne serait venue à personne de visiter Roanne, plus connue pour sa fabrique d'armes et ses usines de textile que pour sa gastronomie. L'Hôtel Moderne, siège de la famille Troisgros, ressemblait à n'importe lequel des petits hôtels à la façade triste qui pullulent, en province, autour des gares. Mais, à l'intérieur, quel éblouissement! Ne parlons pas du décor petit-bourgeois, mais de l'atmosphère qui y régnait. On ne se serait pas cru dans un restaurant. Plutôt au milieu d'une famille qui, immédiatement, faisait de vous un ami. Il y avait d'abord celui que tout le personnel appelait «patron»: Jean-Baptiste Troisgros, un fils de vignerons bourguignons qui était venu ouvrir à Roanne ce modeste établissement. Doué d'un tempérament extraordinaire, cet homme, qui n'avait reçu aucune formation, était un véritable poète. Il

inventait des mots et tenait de pittoresques discours sur la vie, les femmes et surtout le vin qui était l'un de ses sujets préférés. C'était sans doute l'un des palais les plus doués qu'on puisse rencontrer. Il avait des idées très arrêtées, souvent même originales − c'est lui qui, par exemple, a lancé la mode des vins rouges servis frais. Tous les jours, il s'installait à midi dans la salle à manger et se faisait servir les derniers plats mis au point par ses fils. Quand quelque chose lui déplaisait, il se mettait dans une terrible colère (feinte) et comme il avait toujours raison, Pierre et Jean se soumettaient, retiraient le plat de la carte ou le modifiaient.

Jean-Baptiste ne faisait pas la cuisine et le regrettait. Dans un désir de compensation, il avait décidé, quelques années plus tôt, que Pierre et Jean deviendraient, à sa place, les meilleurs cuisiniers du monde.

Il y avait également «la maman», une matrone bourguignonne qui n'ouvrait la bouche que pour dire des choses essentielles. Lorsque son mari remontait de la cave une bouteille d'un très grand bourgogne, elle le goûtait et, si le vin lui plaisait, elle disait: «Tu vois, Jean-Baptiste, ton vin, il ne me dérange pas.» Dans sa bouche, c'était un formidable compliment.

Derrière sa caisse, il y avait «la Tata», sœur de Mme Troisgros. Une ombre vêtue de noir qui ne disait rien mais faisait, elle aussi, marcher la maison. Il y avait également les deux belles-filles, Maria, une belle grande femme qui était l'épouse de Jean, et Olympe, une petite brune, très enjouée, d'origine italienne, qui avait épousé Pierre. Enfin, dans leur petite cuisine, où l'on avait quelque mal à circuler, il y avait les deux frères: Jean, plutôt mince et d'un caractère assez réservé, et Pierre, tout en rondeur et en jovialité.

Sans avoir l'air d'y toucher, ils inventaient ce qui allait devenir le «style Troisgros». Une cuisine libre, spontanée, qui était tout à l'opposé de la grandiloquence et de la prétention de la grande

cuisine qu'on leur avait enseignée chez Maxim's, Lucas-Carton et quelques autres luxueuses maisons. Ils puisaient leur inspiration quotidienne dans les hasards du marché et les parfums du terroir. A tout ce qu'ils préparaient, ils donnaient un goût différent.

Gault-Millau s'employa à faire connaître le nom de Troisgros, allant même jusqu'à publier un article intitulé «le meilleur restaurant du monde». Bientôt, les journalistes accoururent de partout, la foule se précipita et l'on vit pour la première fois des touristes étrangers, principalement américains, dans cette triste ville de Roanne. Au fil des ans, la maison Troisgros se transforma, s'embellit, ouvrit de nouvelles chambres et devint une véritable institution, où les stagiaires faisaient la queue afin d'être admis en cuisine.

Le temps passa et ce grand bonheur s'obscurcit. Tour à tour, Jean-Baptiste, Mme Troisgros, sa sœur, Maria et enfin Jean disparurent, créant un vide immense que Pierre et Olympe, devenus les seuls propriétaires, s'emploient à combler, avec l'aide de leur fils Michel qui a rejoint son père en cuisine.

Évidemment, quand on a connu les Troisgros d'autrefois, ça n'est plus tout à fait la même chose. On ne va plus boire un coup de gevrey-chambertin sur le zinc, les petites chambres ont fait place à des appartements, une nombreuse brigade sert une centaine de couverts et dans les cuisines, les plus vastes et les mieux équipées de France, plus d'une vingtaine d'hommes et de femmes s'activent aux fourneaux.

Les grands plats qui ont fait la gloire de la maison sont toujours inscrits à la carte. Mais en même temps, Pierre et Jean, qui ont voyagé dans le monde entier, ont eu des coups de foudre pour certaines cuisines étrangères, particulièrement en Asie. Le style Troisgros s'est modernisé et propose des plats qui auraient sans doute étonné le vieux Jean-Baptiste, comme les huîtres chaudes au radis noir, le foie gras caramélisé à la rhubarbe, la pintade aux épices indiennes ou les beignets de banane à la chinoise.

Certaines de ces créations sont réussies, d'autres moins. Pierre et Michel Troisgros sont le mieux inspirés lorsqu'ils retournent aux sources. Ce qui a fait la grâce inimitable de leur cuisine, c'est ce cocktail génial de rusticité, de simplicité et de raffinement qui faisait souffler un air frais sur la grande cuisine. Si l'on partageait votre table, on vous conseillerait donc des plats tels que l'assiette de grenouilles et d'escargots à la ratatouille de légumes, les ailerons de volaille aux champignons, au raifort et à la truffe, le saumon servi dans sa peau croustillante et entièrement dégraissée, les dés de ris de veau à l'échalote et aux épinards frais, le ragoût de tête de veau aux olives, le poulet au vinaigre de vin vieux et, sans exception, tous les desserts, depuis les très classiques œufs à la neige jusqu'à un extraordinaire flan au jasmin et au citron vert. Sans oublier les beaujolais et les bourgognes, toujours splendides, ni les vieux cognacs dont Troisgros possède la plus somptueuse collection de France.

On dit «les Haeberlin» comme on disait «les Troisgros». Mais un seul des deux frères est cuisinier: Paul, un Alsacien corpulent et un peu bedonnant qui, avec sa bouche gourmande, évoque à merveille le chef à l'ancienne mode qui ne vit que pour ses fourneaux. Petit, mince et volubile, Jean-Pierre est son contraire. Ancien élève à l'école des Beaux-Arts de Strasbourg et extrêmement doué pour le dessin, il réalise des huiles et des aquarelles dont l'une, d'ailleurs, orne le menu. Passionné d'antiquités, il a empli la vieille auberge familiale d'Illhaeusern, un petit village près de Colmar, de vieux meubles, de poêles alsaciens en faïence, et il a même fait remonter dans le jardin un délicieux petit pavillon en bois, trois fois centenaire, où, de temps en temps, on sert devant la cheminée des repas pour des groupes.

L'Auberge de l'Ill possède un charme exceptionnel, au bord d'une rivière romantique où glissent encore, à l'ombre des grands saules, les barques plates des derniers pêcheurs professionnels du pays qui jettent leurs filets dans l'espoir de remonter un brochet ou un sandre. Toute la famille vous accueille chaleureusement dans cette maison qui, avec le temps, s'est agrandie et embellie. On y retient sa table longtemps à l'avance car pendant le week-end les Allemands débarquent en force, alléchés par la réputation de la cuisine – et aussi par le cours du change.

Bien que de formation très classique, Paul Haeberlin a ressenti l'influence de la nouvelle cuisine, non pas en en devenant un adepte de stricte observance, mais en allégeant ses plats et en leur donnant parfois un aspect assez moderne. L'arrivée de son jeune fils, Marc, a pendant quelque temps accéléré le mouvement. Pas toujours avec succès, d'ailleurs, car d'une part l'Alsace est un pays extrêmement conservateur, et d'autre part il n'est pas évident que ni Marc ni son père soient très à l'aise dans le style «nouvelle cuisine». Depuis quelque temps, ils se rapprochent, de plus en plus, du terroir alsacien, auquel ils apportent une touche personnelle, et les résultats sont autrement convaincants.

Goûtez par exemple le bouillon de perdreau aux girolles, au foie gras et au chou que l'on vous apporte, brûlant, sous un petit chapeau de feuilletage doré; la salade tiède de lentilles vertes aux joues de porc et au foie d'oie; la carpe au pinot noir d'Alsace; le pied de porc farci et braisé au tokay; l'exquis pot-au-feu dans lequel on fait cuire du filet de bœuf et du foie d'oie relevé de gros sel mêlé à des herbes aromatiques, ou encore, si c'est la saison de la chasse (septembre-octobre), un jeune perdreau sauvage, accompagné de blé vert.

C'est aussi le moment ou jamais de s'initier aux grands vins blancs d'Alsace qui, tout chauvinisme mis à part, sont très supérieurs à leurs voisins allemands. La carte des vins de l'Auberge de l'Ill est une pure merveille et avec un riesling «Vendanges tardives» de chez Hugel ou un vieux tokay de chez Trimbach ou Schlumberger, vous passerez un moment divin.

Avec Alain Chapel, on pénètre dans le monde de la création. Bien qu'il se soit toujours défendu d'appartenir à une quelconque école, il est indiscutable que ce fils d'aubergistes de la campagne lyonnaise — ultra-traditionnalistes — a apporté à la cuisine, il y a une quinzaine d'années, un ton absolument neuf. Beaucoup de ses amis chefs le considèrent d'ailleurs comme le plus savant d'entre eux.

Il a transformé la vilaine auberge familiale, située au bord de la route, au milieu du village de Mionnay, en un établissement élégant qui, avec son jardin intérieur bordé par une galerie à arcades, a un petit aspect provençal qui surprend dans ce pays d'étangs et de marais, peuplés par des myriades d'oiseaux.

Homme secret et peu communicatif, Alain Chapel, qui, en dehors de la cuisine, a deux passions — la musique classique et son petit garçon — est moins un restaurateur qu'un cuisinier. Il a peu de contact avec ses clients et il manque à sa mai-

son, pourtant charmante, l'harmonie et le sentiment de bien-être qu'on s'attend à trouver. L'accueil est banal, le service gentil mais pas toujours très précis, et il semble que la cuisine ne soit pas toujours régulière. Est-ce dû à l'atmosphère — pour le client, l'accueil compte souvent autant que la cuisine — ou est-ce la réalité? On est incapable de le dire, car depuis des années que nous allons chez Chapel, nous y faisons des repas admirables.

La carte et les menus varient si souvent qu'il est impossible de conseiller ceci plutôt que cela. On commence par prendre l'apéritif — un verre de champagne rosé, par exemple — dans le jardin ou bien dans le petit salon attenant à la salle à manger. Vous dévorez quelques amuse-gueule, comme une friture de petits poissons et de persil, une gelée de lapereau au thym et à l'infusion de poivre ou du ventre de thon au gingembre. Puis vous passez à table, l'été sous la galerie, l'hiver dans la jolie salle à manger aux dalles de pierre rose et à la cheminée de pierre blanche. Il y a des fleurs partout et en matière de simplicité raffinée on ne saurait mieux faire.

Peut-être les portions sont-elles un peu parci-

monieuses (c'est du moins ce que lui reprochent certains) mais voici en tout cas un repas qui ne risquait pas de nous laisser sur notre faim. Écoutez plutôt. Il y avait une crème de palourdes et d'oursins, des rougets de roche servis avec des pieds et des fanes de coriandre, relevées d'une sauce légèrement moutardée, un ragoût de homard breton accompagné de merveilleuses et minuscules pommes de terre violettes, fermes et tendres à la fois, de petits oiseaux sauvages en cocotte flanqués d'un risotto au jus, d'exquis fromages de chèvre, l'un frais, l'autre sec, et enfin une fantastique marquise au chocolat amer dont Chapel tient la recette d'une vieille paysanne du coin et qu'il conserve jalousement, comme un secret de famille. Ah, nous allions oublier une autre merveille : la glace à la vanille et à la cannelle. Et l'on n'aurait garde d'omettre la cave. C'est l'une des plus riches de France, avec une époustouflante (et très coûteuse) collection de chambertin, de richebourg, d'hermitage et aussi de bordeaux, car imaginez-vous que, presque aux frontières de la Bourgogne, on boit autant de bordeaux que de bourgogne.

Si, chez Alain Chapel, on a presque l'impression de se trouver déjà en Provence, chez Roger Vergé, on y est pour de bon. Quand nous l'avons rencontré par hasard en 1966 dans un hôtel-club de la Côte d'Azur, il faisait une cuisine de très haute qualité mais empêtrée dans toutes les complications que nous détestions. Puis, il fit connaissance de Guérard, des frères Troisgros, de Bocuse et lorsqu'il reprit, au-dessus de Cannes, un moulin à demi ruiné, son style s'était simplifié, épuré. Dès sa première parution en 1972, le guide *Gault-Millau* de la France donna à Vergé, qui était encore assez peu connu, la première place, avec quelques autres.

Aujourd'hui, toutes les célébrités de passage sur la Côte d'Azur défilent dans cette jolie maison ensoleillée où l'on voit encore la grande roue du vieux moulin, tout à côté d'un délicieux jardin clos entouré d'épais murs de verdure. «A part le pape, dit Vergé, je crois qu'il n'est pas un grand nom qui ne soit descendu chez nous.» Les soirs d'été, il sert cent cinquante couverts (réservez votre table dans le jardin) et il y a là près de quatre-vingt-dix pour cent d'étrangers. Des princes arabes qui règlent des additions de mille dollars par personne, après avoir commandé de vieux château-d'yquem et des mouton-rothschild centenaires, mais surtout des Américains, tel ce milliardaire texan qui, chaque année, se plaint automatiquement que les trois premières bouteilles de vin qu'on lui sert sont bouchonnées. Le sommelier les lui rapporte, sans rien dire, et tout va bien, c'est presque devenu un jeu.

Comme ses amis Bocuse et Lenôtre, avec lesquels il est associé à Epcott, Roger Vergé est un grand voyageur. Du monde entier, des milliardaires l'appellent pour préparer un dîner à Los Angeles, à Londres ou à Tokyo. Il supervise plusieurs restaurants en dehors de France et son activité débordante a fini par lui attirer des critiques, tout comme à Paul Bocuse. Ses clients déploraient de le voir trop peu dans sa maison et certains même mettaient en cause la régularité de sa cuisine. Il semble qu'il en ait pris conscience. En tout cas, la demi-douzaine de repas que nous avons faits ces temps derniers au Moulin atteignaient la perfection.

Chaque année, une cinquantaine de nouveaux plats s'ajoutent aux plats vedettes que sont les artichauts violets «à la barigoule» (revenus à l'huile d'olive et au vin blanc), le gâteau de lapin au chablis, la langouste royale au poivre rose, le homard au sauternes, le blanc de loup aux échalotes et au vin blanc de Provence, les noisettes d'agneau au coulis de truffes ou le pigeon à l'ail et aux endives. Parmi les récentes et plus délicieuses découvertes, citons la poêlée de petits légumes provençaux au coulis de champignons sauvages, les fleurs de courgettes farcies à la truffe, les beignets de feuilles de

45

Le plateau de desserts du restaurant d'Alain Chapel est une fête pour les yeux. C'est fort jalousement que Chapel garde le secret de sa marquise au chocolat amer.

sauge (une friture si légère qu'elle est transparente), les rougets de roche à la tomate et à l'huile d'olive, dans laquelle on a mis des herbes à macérer, le turbot au four, nappé d'une huile au cerfeuil, le filet de veau, rose et tendre, au coulis de tomate et, d'une manière générale, tous les desserts qui, jadis assez faibles, sont aujourd'hui d'une qualité exceptionnelle.

Les additions du Moulin volent très haut. Les vins sont excellents mais extrêmement coûteux. Notez toutefois que les bourgognes sont ici moins chers que les bordeaux et si vous voulez boire un vin de Provence, les meilleurs de la maison sont le Château-Vignelaure, le Château-Simone et le Château-Pradeaux, un délicieux bandol rouge.

Louis Outhier avait été l'un des derniers élèves de Fernand Point à Vienne, en même temps que Bocuse et les frères Troisgros. Nous l'avons connu en 1961 alors qu'il venait de transformer une vieille pension de famille en un restaurant, nommé l'Oasis, à La Napoule, un petit port de plaisance à quelques kilomètres de Cannes. A cette époque, il avait une étoile Michelin et nous avions été tellement emballés que nous avions écrit dans *Paris-Presse* (le guide *Gault-Millau* n'existait pas encore): «Ça n'est pas une étoile qu'Outhier mérite, mais trois.» Il les obtint neuf ans plus tard...

La bicoque d'autrefois est devenue un opulent restaurant, au luxe d'ailleurs un peu trop voyant, et plutôt que dans la salle à manger de style Louis XV — assez peu approprié à l'atmosphère et à la lumière de la Côte d'Azur — c'est en bordure du jardin intérieur, dans la galerie vitrée où se trouvent quelques tables, qu'on vous conseille de réserver la vôtre.

Timide, toujours inquiet, Outhier a mis beaucoup de temps à faire évoluer une cuisine très marquée dans ses débuts par celle de Point et dont les grandes spécialités étaient le loup en croûte (le même que celui de Bocuse), la truffe en feuilletage et le rognon de veau entier au xérès. Il répétait toujours les mêmes plats. Il y a quelques années, sa vie a changé lorsqu'il a découvert l'Extrême-Orient, et plus particulièrement la Thaïlande où l'Hôtel Oriental lui demandait de superviser la carte de son restaurant français. Il en a rapporté le goût des épices, des herbes exotiques, et d'un seul coup cet ultra-conservateur s'est transformé en un vrai créateur.

Il conserve toujours à sa carte ses classiques tels que l'œuf au caviar, le turbot braisé au champagne, la poularde aux morilles, le saint-pierre au vin rouge ou les aiguillettes de canard à l'armagnac, qui sont d'ailleurs excellents. Dans ce répertoire, il se montre un grand artisan, mais dans l'autre il est un véritable artiste. Demandez-lui sa soupe de langoustines au tapioca du Japon, thym citronné et piment, sa raie aux truffes, citron et vinaigre de vin blanc, sa merveilleuse langouste aux herbes thaï (citronnelle, gingembre, curry et pommes fruits), son émincé d'agneau au gingembre et aux fèves, ou son canard à l'orientale, croustillant et servi avec une sensationnelle sauce à base de miel, coriandre et herbes thaï. Gardez toutefois une place pour les desserts. Le chef pâtissier de l'Oasis est, lui aussi, un artiste et il est impossible de ne pas craquer devant son chariot de quelque vingt-cinq desserts.

Ce voyage chez les pères de la cuisine moderne a commencé chez Michel Guérard. Il va s'y terminer, dans cette belle maison des Landes qui est devenue un peu le symbole du raffinement et du bon goût français.

Dix ans après la rencontre d'Eugénie-les-Bains, le jeune homme de cinquante ans, qui continue de ressembler à un enfant de chœur, un peu dissipé, est sans doute de tous celui qui a le mieux gardé son enthousiasme, sa fraîcheur et sa capacité de renouvellement.

Nous l'avons rencontré pour la première fois dans un coin lugubre de la banlieue parisienne,

Le restaurant de Roger Vergé, sur la Côte d'Azur, est célèbre également pour ses longues listes d'attente: on n'y vient pas à l'improviste!

où il venait d'ouvrir un modeste bistrot, le Pot-au-Feu, à Asnières. Aussitôt conquis par le ton de sa cuisine, il ne faisait aucun doute pour nous qu'un très grand cuisinier venait d'apparaître.

Il connut très rapidement un succès phénoménal et accueillit la clientèle parisienne la plus chic qui trouvait très excitant d'aller se perdre dans ce quartier lointain, parmi les usines et les garages. Puis, il se maria avec Christine qui l'enleva pour le conduire à Eugénie-les-Bains, une petite station thermale datant de Napoléon III et que son père était en train de ressusciter. C'était une aventure dangereuse et tous ses amis étaient persuadés qu'il courait à l'échec. Qui donc aurait l'idée d'aller dîner dans ce village perdu?

C'était pourtant lui qui avait raison. Dès qu'il rouvre sa maison au mois d'avril, après l'avoir fermée en novembre, Guérard fait le plein et y accueille le monde entier. Le miracle est que rien n'est moins «touristique» que cette grande maison blanche au milieu des prés et des bois. Les balcons en fer forgé qui évoquent ceux de La Nouvelle-Orléans, les palmiers, le bananier qui s'accommodent des doux hivers du Sud-Ouest, les tableaux romantiques, les meubles d'acajou, les bibelots 1900, les tables dressées comme pour une fête, les bouteilles de vieil armagnac et les pots de confitures alignés sur les étagères: tout ici est un pur ravissement et il règne une sérénité et une impression d'intimité assez surprenantes en un lieu où il passe tant de monde.

Si Michel Guérard vous invite dans ses cuisines, vous saisirez encore mieux l'esprit de la maison. Plus qu'une brigade de grand restaurant, la quinzaine d'hommes et de femmes qui l'entourent, sous les ordres du fidèle chef Didier Oudil, font penser à une bande de copains. Il y a de la complicité dans l'air, autour des paniers de cèpes cueillis du matin, des foies gras qu'on déballe et des herbes encore humides de rosée qu'on vient de ramasser dans le jardin. On dirait que tout s'improvise sur le moment.

La subtilité des arômes de la cuisine de Michel Guérard est due, pour une bonne part, à l'utilisation d'herbes fraîches qu'il cueille chaque jour.

Ce n'est évidemment qu'une illusion car Guérard, sous ses aspects un peu désordonnés, est un organisateur. Chaque plat est étudié avec une précision de chimiste, en particulier lorsqu'il s'agit de sa «cuisine légère», de sa cuisine à basses calories qui, dans son genre, est la meilleure du monde et permet à ceux qui suivent la cure d'amaigrissement de perdre plusieurs kilos en dix jours, tout en mangeant des écrevisses, du homard, du pigeon et même de merveilleux desserts. Cette cuisine, très particulière, demande en effet des soins méticuleux.

La cuisine de Guérard, c'est l'anti-grande cuisine, par excellence. Il y a même une pincée de génie dans ces plats où les saveurs simples et directes de la campagne sont transfigurées par une imagination inépuisable! Méfiez-vous tout de même: Eugénie-les-Bains, c'est le paradis tenu par le diable. On vient y déjeuner et deux jours après on est toujours là.

Cerfeuil

Ci-contre:
Christine et Michel Guérard.

48

SAUMON OU LOUP EN CROÛTE FERNAND POINT, SAUCE CHORON

INGRÉDIENTS POUR 6 PERSONNES:

    1 queue de saumon sauvage frais ou de loup
      de 1,2 kg environ
    1 œuf
      cerfeuil, persil, estragon
  250 g de pâte feuilletée
      sel, poivre noir
    4 cuillerées à soupe d'huile d'olive

Faire enlever la peau du poisson par le poissonnier. Au moment de la préparation, ouvrir le poisson sur chaque côté, en lui conservant l'arête centrale qui lui laissera tout son moelleux.

Laver le persil, le cerfeuil et l'estragon, les éponger et les glisser dans les ouvertures pratiquées de chaque côté. Saler, poivrer au moulin. Faire reposer dans un plat en verre badigeonné d'huile d'olive.

Pendant ce temps, mettre en place la pâte feuilletée (voir p. 54) faite la veille. Brancher le four à 210° ou thermostat 7.

Sur une planche farinée étendre la pâte uniformément, en couper deux carrés de la dimension du poisson à cuire. Poser le poisson sur une pièce de pâte, recouvrir de la seconde. Découper le tour du poisson à l'aide d'un couteau fin en coupant la queue en forme de queue de poisson. Faire des encoches à l'aide d'une douille, sur tout le corps, de façon à imiter les écailles.

Casser l'œuf dans une tasse et n'en conserver que le jaune. A l'aide d'un pinceau propre, badigeonner uniformément la pâte.

50

Poser le poisson sur un papier sulfurisé beurré, sur la plaque à pâtisserie allant au four. Mettre au four.

Surveiller la cuisson: dès que la pâte paraît saisie, baisser à 180° (thermostat 6). 30 minutes avant la fin de la cuisson, préparer la sauce qui va l'accompagner.

Servir le tout bien chaud.

N.B.: Pour une très bonne cuisson, l'arête doit rester rose.

SAUCE CHORON SIMPLIFIÉE:

  150 g de beurre
  1/2 verre de vinaigre de vin
    2 œufs
    3 échalotes
    1 citron
    1 cuillerée à soupe de cerfeuil haché
    2 cuillerées à soupe d'estragon haché
  1/2 cuillerée à café de concentré de tomates
      sel, poivre

Préparer une grande casserole d'eau chaude pour le bain-marie. Éplucher les échalotes, laver cerfeuil et estragon. Hacher séparément chaque élément. Mettre le vinaigre dans une petite casserole en porcelaine ou en fonte émaillée, ajouter les échalotes et une cuillerée d'estragon. Saler, poivrer au moulin. Le vinaigre doit s'évaporer en totalité. Laisser refroidir.

Mettre à chauffer la saucière de service.

Casser les œufs en prélevant les jaunes que l'on ajoute aux échalotes avec deux cuillerées à soupe d'eau. Poser à nouveau la casserole dans le bain-marie. Battre la préparation avec un fouet léger, tout en ajoutant le beurre fractionné, le concentré de tomates et le jus de citron.

La sauce doit monter et mousser.

Rectifier l'assaisonnement puis ajouter le cerfeuil et l'estragon restants.

Paul Bocuse enveloppe le saumon ou le loup dans une croûte pâtissière avant de cuire l'ensemble au four. Il sert sa préparation avec une sauce Choron.

Paul Bocuse

VOLAILLE DE BRESSE HALLOWEEN
(une volaille cuite dans un potiron)

INGRÉDIENTS POUR 8 A 10 PERSONNES :

- 1 volaille de Bresse d'environ 2 kg
- 1 courge d'environ 3,5 kg
  (que la largeur, une fois évidée,
  puisse contenir la volaille)
- 100 g de riz de Camargue
- 2 œufs entiers
- 25 cl de crème fleurette
- 60 g de gruyère râpé
- 80 g de beurre
  noix muscade
  persil, estragon, gros sel de et poivre noir

PRÉPARATION :

Faire vider la volaille par le volailler. La sortir du réfrigérateur environ 1 h 30 avant sa préparation.

Laver l'extérieur de la courge à l'eau claire, puis l'essuyer avec du papier ménager. Décalotter ensuite le haut, côté queue de façon à faire un chapeau. Évider l'intérieur à l'aide d'une grosse cuillère, conserver également la chair.

Mettre le four à chauffer (210°, thermostat 7).

Entourer tout l'extérieur de la courge de papier d'aluminium.

Saler l'intérieur du poulet avec du gros sel et du poivre noir du moulin. Ajouter 50 g de beurre.

Laver les herbes soigneusement, les éponger et en bourrer le ventre de la volaille.

Placer alors le poulet bridé dans la courge, recouvrir du couvercle et mettre au four.

Au bout de 1 h 30, ajouter le riz dans la courge autour de la volaille, resaler légèrement, et laisser encore 30 minutes.

Faire alors bouillir une casserole d'eau salée et plonger la chair de la courge dès l'ébullition pour la faire blanchir, 10 minutes environ. Égoutter, puis placer la chair dans un plat allant au four, placer ce dernier au four 20 minutes pour faire évaporer l'eau qui reste à l'intérieur du légume.

Ensuite, passer à la moulinette, saler, poivrer, ajouter les œufs et la crème.

Beurrer un plat à gratin avec 30 g de beurre, verser la préparation dans le plat et saupoudrer de gruyère râpé et de noix de muscade.

Laisser gratiner 15 minutes.

Servir chaud, dans la même assiette, volaille, riz et gratin de courge.

51

La préparation du poulet de Bresse Halloween s'inspire d'un plat de Toussaint traditionnel aux États-Unis.

BRILLANT AU CARAMEL

INGRÉDIENTS POUR 8 PERSONNES :

200 g de pâte sucrée
1/2 citron
La ganache
100 g de chocolat
 75 g de crème
Le caramel
150 g de sucre
 20 g de glucose
100 g de crème

MISE EN PLACE :

Abaisser un rond de 22 cm de diamètre en pâte sucrée et le cuire 10 minutes environ à 180°.

Faire bouillir la crème et la mélanger au chocolat préalablement fondu au bain-marie. Laisser refroidir en remuant de temps en temps.

LE CARAMEL :

Mettre le sucre, le glucose et 5 cl d'eau dans un poêlon. Amener au caramel clair.

Hors du feu, ajouter l'appareil crème-chocolat. Amener à ébullition, joindre le jus du demi-citron et laisser tiédir.

CONFECTION :

Étendre en fine couche sur le fond de pâte cuite une partie de la ganache. Mettre le reste dans une poche puis dessiner huit parts et le contour de la tarte. Réserver au froid une petite demi-heure.

Couler le caramel dans les compartiments et laisser refroidir à nouveau.

SERVICE :

Découper la tarte en suivant les bordures de chocolat.

Important : il est nécessaire de réaliser des compartiments pour retenir le caramel.

Le brillant au caramel, placé à gauche, est l'un des appétissants desserts de Pierre et Michel Troisgros.

Paul, Jean-Pierre et Marc Haeberlin

MOUSSELINE DE GRENOUILLES

INGRÉDIENTS POUR 6 PERSONNES:

- 2 kg de cuisses de grenouilles
- 200 g de chair de brochet
- 2 blancs d'œufs
- 1/2 litre de crème
- 150 g de beurre
- 1/2 bouteille de riesling
- 4 échalotes
- 500 g d'épinards
- 1/2 citron
- 1 gousse d'ail
- 1 cuillerée de roux
- ciboulette
- sel et poivre

CUISSON DES GRENOUILLES:

Dans une sauteuse, faire suer au beurre les échalotes hachées, mettre la moitié des grenouilles, mouiller avec la demi-bouteille de riesling, saler, poivrer et laisser mijoter à couvert durant 10 minutes.

Après cuisson, verser les cuisses de grenouilles sur une passoire. Passer le fond de cuisson au chinois et le remettre dans la sauteuse pour le faire réduire de moitié.

PRÉPARER LA MOUSSE:

Passer au hachoir à grille fine la chair de brochet, ainsi que la chair de l'autre moitié des grenouilles que l'on aura désossées à cru.

Mettre ces chairs au mixer ainsi que les deux blancs d'œufs. Laisser tourner et ajouter peu à peu le même volume de crème, saler et poivrer.

Dès que la mousse est bien homogène, la sortir du mixer et la réserver dans une terrine.

PRÉPARER LES ÉPINARDS:

Blanchir les épinards dans l'eau bouillante salée, les laisser cuire 5 minutes. Les égoutter sur une passoire. Bien les presser entre les mains pour en extraire toute l'eau.

Dans une sauteuse, mettre 50 g de beurre ainsi que la gousse d'ail en chemise. Dès que le beurre commence à

53

La mousseline de grenouilles est une délicate spécialité des Haeberlin.

mousser, mettre les épinards, saler, poivrer et laisser chauffer durant 5 minutes.

Désosser les cuisses de grenouilles cuites et les garder en réserve.

Beurrer huit moules à ramequins. Mettre la mousse dans une poche à douille ronde et masquer les parois des moules. Remplir le creux avec les cuisses de grenouilles cuites et recouvrir avec une couche de farce.

Placer les ramequins dans un bain-marie et faire cuire au four durant 15 minutes.

FAIRE LA SAUCE :

Lier le fond de cuisson réduit avec la cuillerée de roux et faire bouillir, ajouter un bol de crème et monter la sauce avec le beurre restant en petits morceaux bien froids. Terminer avec le jus de citron, saler et poivrer et rectifier l'assaisonnement.

Démouler les ramequins sur un plat garni avec les épinards en branches.

Napper les mousselines avec la sauce et parsemer de la ciboulette finement coupée.

54

PÂTE FEUILLETÉE :

250 g de farine
375 g de beurre
  1 cuillerée à café de sel fin
  1 verre d'eau

PRÉPARATION :

Sur une planche propre — ou, mieux, sur un marbre — mettre la farine passée au tamis, faire un trou au milieu, ajouter le sel et l'eau, puis pétrir le tout de façon à obtenir une boule. Laisser reposer 20 minutes. Ensuite l'étaler à l'aide d'un rouleau à pâtisserie en formant un carré épais de 1 cm et de 20 cm de côté. Placer le beurre travaillé dans le centre puis plier la pâte en quatre pour que le beurre soit bien enfermé. Laisser reposer 10 minutes.

Étendre à nouveau la pâte en formant un grand rectangle, plier en trois dans le sens de la longueur et en trois dans le sens de la largeur. Laisser reposer 10 minutes.

Recommencer deux fois cette opération et la pâte sera prête à l'emploi.

L'excédent de pâte pourra être utilisé pour réaliser gâteaux ou feuilletés apéritif.

MIXED BŒUF

INGRÉDIENTS POUR 4 PERSONNES :

250 g de filet
250 g d'entrecôte
250 g d'onglet
180 g de hampe
180 g de pointe d'aiguillette de rumsteck
  3 échalotes
180 g de beurre
  1 verre de vin rouge
    huile blanche
    sucre
    sel et poivre

PRÉPARATION :

Tailler un château de 3 cm d'épaisseur pris dans le cœur du filet, une entrecôte du même poids et de 1,5 cm d'épaisseur, quatre pièces de 50 g dans l'onglet, que l'on cisèle légèrement, quatre tranches de 40 g dans la hampe et quatre petits biftecks de 40 g pris dans la pointe de l'aiguillette de rumsteck.

Prévenir le boucher suffisamment à l'avance afin qu'il découpe ces pièces dans de la viande rassie à point.

Éplucher les échalotes.

Les plonger dans le vin rouge bouillant légèrement salé et sucré.

CUISSON :

Assaisonner le tout de sel et de poivre du moulin.

Prendre trois poêles de tailles différentes. Faire sauter les pièces de bœuf au beurre mousseux : dans la plus petite, le château (8 minutes de cuisson); dans la moyenne, l'entrecôte (2 minutes de cuisson); dans la plus grande trois autres variétés (entre 1 et 3 minutes en fonction de l'épaisseur).

Retirer la viande, et la faire suer, ajouter 3 cuillerées d'eau et laisser mijoter quelques secondes.

SERVICE :

Découper le château et l'entrecôte en quatre, les répartir dans quatre grandes assiettes chaudes et compléter avec les autres pièces.

Déglacer les poêles avec la cuisson des échalotes, assaisonner et napper la viande.

NUANCES :

Cette recette permet d'apprécier la différence de goût et de texture entre plusieurs pièces du bœuf.

Paul, Jean-Pierre et Marc Haeberlin

LE TURBOTIN RÔTI A L'AIL ET AUX LARDONS

INGRÉDIENTS POUR 4 PERSONNES :

  2 turbotins de 800 g à 1 kg
12 gousses d'ail non pelées
200 g de lard fumé coupé en lardons
100 g de beurre froid
  1 dl de fond de veau
  2 échalotes ciselées
  2 cl d'huile d'olive vierge
  1 dl de crème fraîche

Après avoir vidé et nettoyé les deux turbotins, les assaisonner de sel et de poivre et les fariner. Les colorer à la poêle avec 2 cl d'huile d'olive.

A mi-cuisson, ajouter l'ail non pelé et les lardons. Terminer la cuisson au four chaud (thermostat 7/8, ou 220°) pendant 10 à 15 minutes.

Une fois cuits, dresser les turbotins sur un plat de service et les garnir des lardons et des gousses d'ail.

Pour confectionner la sauce :

Déglacer la poêle avec 2 échalotes hachées et du vinaigre de xérès, mouiller avec le fond de veau et la crème fraîche, laisser réduire et monter au beurre froid.

N.B. : Des épinards en branches conviennent parfaitement en accompagnement de ce plat.

55

A gauche : Le mixed bœuf des Troisgros est à la fois facile et rapide à préparer.

Au verso : On peut se servir de carrelet, de turbot ou de poulet comme ingrédient de base pour ce plat rôti à l'ail et aux lardons.

Alain Chapel

DES COQUILLAGES
A LA FAÇON D'ESCARGOTS

INGRÉDIENTS POUR 4 PERSONNES:

Pour en utiliser les coquilles uniquement

 24 gros escargots de mer

800 g de bigorneaux

200 g de petites palourdes

200 g de petits clams

100 g de tout petits crabes «de coquillages»

1/2 litre de court-bouillon ou nage

 16 tiges de laitues montées

  2 petites tomates, bien mûres, bien rouges

  1 oignon fané

  1 échalote

250 g de beurre ramolli

200 g d'herbes à soupe

    (cressonnette de jardin ou pourpier, feuilles vertes
de céleri, persil, cerfeuil, orties, haut de feuilles de
poireau, ciboulette, etc.)

    sel et poivre du moulin (au goût)

    la pointe d'un couteau de purée avec

    le jus d'un demi-citron

1/2 gousse d'ail en pommade

  3 gouttes d'anis.

PRÉPARATION:

Ébouillanter 3 minutes les escargots de mer, les extraire de leurs coquilles. Laver celles-ci et les conserver.

Préparer un demi-litre de court-bouillon. Cuire les coquillages, laisser refroidir, égoutter. Extraire de leurs coques et conserver dans un peu de court-bouillon passé.

Faire cuire les herbes à soupe dans beaucoup d'eau salée. Rafraîchir, égoutter, hacher finement. Mêler au beurre ramolli et assaisonné de tous les ingrédients. Éplucher les tiges de laitues. Laver. Cuire à l'eau bouillante salée. Débarrasser. Conserver dans un peu de leur bouillon.

Éplucher les tomates, épépiner, tailler en dés minuscules.

EXÉCUTION DE LA RECETTE:

Préchauffer le four à 240° (thermostat 8).

Éplucher, hacher oignon et échalote, faire revenir dans 10 g de beurre doucement. Ajouter les tiges de laitues égouttées. Faire fondre le tout, sans oublier la tomate concassée. Mouiller de deux cuillerées de la cuisson. Mijoter et tenir au chaud sur le coin du fourneau.

Égoutter les coquillages, les mêler au beurre d'escargots. Remplir les coquilles des gros escargots. Glisser au four 5 minutes.

Chauffer doucement les coquillages et beurre restants.

DRESSAGE ET PRÉSENTATION:

Sur quatre grandes assiettes blanches à huîtres, dresser (l'opération sera à répéter quatre fois): au centre un bouquet de tiges de laitues, parsemé de coquillages et beurre, et dans les six emplacements autour de l'assiette à nouveau un bouquet de tiges de laitues, mais plus petit, sur lequel on posera les six gros escargots.

Une assiette marinière d'Alain Chapel: des bulots, des clams, des coques et des crabes sont cuits avant d'être mélangés avec le beurre aux herbes, préalablement ramolli. Ils sont présentés dans des coquillages d'escargots de mer.

Au verso: Alain Chapel place des salsifis et des crevettes grises autour du bar.

Alain Chapel

TRANCHE DE BAR RÔTIE
SALSIFIS ET CREVETTES GRISES
AU THYM CITRON
UNE SAUCE ACIDULÉE

INGRÉDIENTS POUR 4 PERSONNES :

  2 bars de 700 g chacun
  1 trait de cognac
  2 verres de vin blanc
600 g de salsifis
200 g de beurre (en garder 50 g pour la sauce)
200 g de crevettes grises
 30 g de farine
  1 bouquet de thym citron
 80 cl de fumet de homard ou langoustines
  4 cuillerées à soupe de vinaigre balsamique

PRÉPARATION :

Écailler, vider et couper chaque bar en deux tranches, conserver au frais sur un linge propre.

Éplucher, laver, essuyer et découper les salsifis en biseaux ; les cuire dans un blanc léger et réserver.

Préparer le fumet de homard ou de langoustines (de préférence) avec des carcasses revenues à l'huile d'olive, des légumes en mirepoix.

Déglacer d'une cuillerée à café de fine champagne, mouiller au vin blanc et compléter d'autant d'eau. Saler, ajouter une tête d'ail, une pincée de poivre en grains concassés, deux tomates fraîches, lavées et coupées en quatre, quelques branches de persil frais. Cuire une heure lentement, passer au chinois. Réserver.

EXÉCUTION DE LA RECETTE :

Réduire le fumet de homard ou langoustines jusqu'à ce qu'il ne reste que quatre cuillerées par personne. Faire infuser une branche de thym citron pendant 5 minutes et

ajouter une cuillerée de vinaigre balsamique par personne.

Faire cuire les tranches de bar après les avoir farinées dans un plat en terre allant au four, les rôtir sur chaque face juste à point.

Faire sauter les salsifis en les colorant légèrement et au tout dernier moment, juste pour les chauffer, ajouter les crevettes décortiquées.

DRESSAGE ET PRÉSENTATION :

Mettre les tranches de bar rôties sur chaque assiette chaude. Disposer salsifis et crevettes poêlés harmonieusement. Napper de la sauce à peine émulsionnée avec 50 g de beurre (uniquement le fond d'assiette).

Poser joliment sur le côté une branche de thym citron.

Alain Chapel

SAINT-PIERRE AU PLAT
ET AU FOUR
COMME UNE SURPRISE

INGRÉDIENTS POUR 4 PERSONNES :

 16 pommes de terre Stella de grosseur moyenne
100 g de beurre, plus 50 g pour graisser
    largement les plats à gratin
  2 saint-pierre de 600 à 700 g
    quelques brindilles :
    thym frais, thym citron frais et basilic à petites
    feuilles
    les fanes de 4 petits oignons frais
    sel et poivre du moulin
  2 cuillerées de fumet de saint-pierre réduit
    en pommade
  3 verres de bouillon de poule au pot très,
    très léger.

62

C'est leur rapide cuisson au four (2 minutes) sur un fond d'oignons qui fait la « surprise » des filets John Dory d'Alain Chapel.

Vider les saint-pierre, lever en filets, laver, éponger et conserver sur un linge propre au frais.

Éplucher et laver les pommes de terre. Éponger, émincer comme pour un gratin.

Préparer le bouillon de la poule au pot (à défaut, trouver dans le commerce).

Préparer le fumet de saint-pierre. Réduire.

Réserver les brins de chaque aromate sur une assiette.

Émincer les fanes d'oignons frais. Réserver.

EXÉCUTION DE LA RECETTE :

Préchauffer le four à 240° (thermostat 8).

Beurrer grassement quatre petits plats à gratin en porcelaine allant au four.

Assaisonner. Ranger joliment sur trois couches fines au maximum les pommes de terre émincées. Mouiller du quart de bouillon de poule chacun des plats. Débuter la cuisson sur le coin de la plaque du fourneau.

Fondre sans trop les déformer les fanes d'oignons à peine assaisonnées dans un sautoir sur une noix de beurre. Mettre les plats à gratin au four 10 minutes environ. Tenir la cuisson un peu juste (pour cela vérifier avec la pointe d'un petit couteau). Poêler les filets de saint-pierre au beurre. Tenir ferme.

DRESSAGE ET PRÉSENTATION :

Au centre des plats à gratin, faire un lit très léger des fanes d'oignons. Poser dessus les filets de saint-pierre. Arroser de la mousse de leur beurre de cuisson (c'est-à-dire une cuillerée à café). Parsemer des brindilles réservées. Le faire de façon la plus agréable à l'œil possible. Détendre les deux cuillerées de pommade de fumet du peu de bouillant restant et du peu de cuisson des pommes de terre. Couler sur le poisson. Remettre au four 1 à 2 minutes.

LE BLANC DE TURBOT
EN MOUSSELINE DE COING

INGRÉDIENTS POUR 6 PERSONNES :

   6 filets de turbot de 180 à 200 g
   1 litre de lait
 20 g de persil
 20 g de cerfeuil
 10 feuilles d'estragon
 20 g de ciboulette
   6 petites feuilles de laurier, fraîches et tendres
110 g de beurre
 75 cl de crème fraîche légère, dite fleurette
   3 coings bien mûrs
     sel, poivre

Placer les 6 filets dans une petite bassine, ajouter quelques glaçons, 1 litre de lait froid et recouvrir d'eau bien glacée. Laisser dégorger pendant au moins 2 heures.

PRÉPARATION :

Hacher le plus fin possible le persil, le cerfeuil, les feuilles d'estragon et la ciboulette. Ciseler chaque feuille de laurier de chaque côté de la nervure centrale en forme de feuille de palmier. Mettre tout cela de côté.

Peler les coings et en retirer le centre après les avoir partagés en deux. Couper 24 fines tranches que vous mettez de côté, et le reste en morceaux que vous cuisez avec un peu d'eau et une pincée de sel. Égoutter les coings. Lorsqu'ils sont cuits, les mettre en purée avec 30 g de beurre frais. Garder la compote de côté.

50 minutes avant le repas, mettre le four à préchauffer à 200°, thermostat 6-7.

Ranger les six filets de turbot bien égouttés dans un plat allant au four et sur chacun d'eux quelques tranches fines de coing. Les saler ainsi que les feuilles de laurier ciselées sur chaque filet, et recouvrir de crème fraîche dont on gardera cependant 5 cuillerées à part dans un bol.

Passer au four préchauffé pendant environ 8 minutes. Pour s'assurer de la bonne cuisson, presser légèrement le

centre du filet du bout de l'index : il doit céder à la pression tout en offrant une légère résistance.

Lorsque le poisson est cuit, verser la presque totalité de la crème de cuisson dans une casserole, mais veiller à en laisser un peu dans le fond du plat pour que le poisson ne se dessèche pas. Couvrir ce plat avec un papier d'aluminium et garder au chaud.

Porter la crème de cuisson du poisson à ébullition, puis ajouter 3 cuillerées à soupe de purée de coing en fouettant. Retirer aussitôt du feu et verser l'ensemble dans le bol du mixer. Mettre à point de sel, ajouter les herbes hachées et laisser tourner le mixer. La sauce prendra une belle teinte vert pâle et une consistance veloutée. La maintenir au chaud au bain-marie.

Juste avant de servir, former six bouquets de purée de coing sur le plat de service. Napper de sauce aux herbes tout le fond du plat. Tremper le pinceau dans le beurre et le passer sur les filets de turbot afin de les débarrasser de toute trace de crème. Le poisson doit être bien blanc, net et brillant, et la feuille de laurier bien dégagée.

Disposer alors les filets de turbot sur les lits de coings et servir chaud.

Roger Vergé

LES FLEURS DE COURGETTES
AUX TRUFFES

INGRÉDIENTS :

    6 fleurs de courgettes
500 g de champignons de Paris
    1 citron
    6 truffes noires du Vaucluse
        de 15 g chacune, en boîte ou fraîches
    1 cuillerées à soupe d'échalotes hachées
300 g de beurre
    5 cuillerée à soupe de crème fraîche légère,
        dite fleurette
    2 jaunes d'œufs
500 g d'épinards nouveaux très tendres ou
        de mâche
        quelques brins de cerfeuil (facultatif)
        sel, poivre

Roger Vergé fait cuire au four ses filets de turbot, dans une crème fraîche parfumée de tranches de coings et d'une feuille de laurier.

Au verso : Roger Vergé farcit la fleur de courgette, toujours rattachée à son fruit, avec des champignons hachés et des truffes.

PRÉPARATION :

Plusieurs heures à l'avance, retirer la partie terreuse des champignons en taillant leur pied en pointe de crayon, puis les laver rapidement sans les faire tremper pour qu'ils ne s'imbibent pas d'eau. Les hacher au robot-coupe sans les réduire en pâte ou sur la planche à hacher. Arroser aussitôt du jus d'un demi-citron pour éviter qu'ils ne noircissent.

Hacher finement une échalote.

Mettre sur le feu une casserole plate de 2 ou 3 litres ou une poêle, avec 1 cuillerée à soupe de beurre et l'échalote hachée.

Dès que le beurre commence à chanter, verser les champignons, saler et remuer à la spatule de bois. Après 3 ou 4 minutes de cuisson, poser une passoire fine inoxydable sur une petite casserole et égoutter les champignons.

Conserver l'eau de cuisson et remettre les champignons dans la grande casserole. Les mettre sécher à feu vif en remuant à la spatule de bois.

Dans une terrine, mélanger au fouet 5 cuillerées à soupe de crème fraîche et 2 jaunes d'œufs. Verser ce mélange sur les champignons bien secs et incorporer le tout au fouet. Laisser cuire 2 minutes à plein feu, vérifier l'assaisonnement et verser dans un grand plat plat. Laisser refroidir.

Égoutter les truffes et en récupérer le jus que l'on mélange à celui des champignons dans la petite casserole.

Prendre les fleurs de courgettes. Écarter les pétales de chaque fleur et verser une cuillerée à dessert de purée de champignons. Placer une truffe au milieu et refermer les pétales.

Disposer les fleurs sur une grille ou dans la partie haute du couscoussier et les recouvrir d'une feuille de papier d'aluminium.

Trier et laver les feuilles d'épinards après en avoir retiré les queues. Bien les égoutter.

Mettre à réduire le jus de champignons et de truffes jusqu'à ne plus avoir que 3 cuillerées à soupe de liquide. Incorporer alors le reste du beurre (environ 250 g) par petits morceaux en fouettant sur feu vif.

Mettre à point de sel et de poivre et tenir au chaud au bain-marie.

Un quart d'heure avant de servir, mettre de l'eau chaude dans le couscoussier ou dans un petit plat à four sur lequel on pose une grille où l'on dispose les fleurs de courgettes. Mettre à bouillir sur feu vif et laisser cuire ainsi à l'étuvée pendant 15 minutes. La cuisson sera parfaite lorsque l'on pourra pénétrer sans peine la pointe d'un couteau dans la petite courgette.

Étaler alors les feuilles d'épinards sur les six assiettes chaudes, poser dessus les fleurs de courgettes, saler légèrement et donner un tour de moulin à poivre.

Napper de beurre de champignon et de truffe.

LE FILET DE CHEVREUIL,
SAUCE POIVRADE FRAMBOISÉE

INGRÉDIENTS POUR 6 PERSONNES:

Pour la marinade

- 1 bel oignon
- 2 carottes
- 1 branche de céleri
- 4 gousses d'ail
- 3 cuillerées à soupe d'huile d'olive
- 10 cl de vinaigre de vin
- 1 bouteille de vin rouge corsé
  (Côtes rôties, Pommard ou bandol)
- 2 bonnes cuillerées à soupe de poivre noir concassé
- 8 baies de genièvre
- 1 gros bouquet garni composé de 2 feuilles de laurier,
  1 bouquet de thym et les queues du bouquet
  de persil, le tout lié par une petite ficelle
- 1 kg de filet de chevreuil sans graisse ni peau

Pour la cuisson et la sauce

- 1 cube de bouillon de volaille
- 1 cuillerée à dessert de concentré de tomates
- 100 g de beurre
- 2 cuillerées à soupe de fécule de pomme de terre
  ou de maïs
- 1 cuillerée à dessert de gelée de groseilles
- 2 cuillerées de crème double
- 100 g de framboises
  (en mettre 50 g en purée et en garder 50 g parmi
  les plus belles ; les framboises étant rares
  à la saison du gibier, employer des fruits surgelés).

On peut très bien aimer les sauces qui accompagnent le gibier et ne pas beaucoup aimer le gibier lui-même. C'est mon cas. La sauce dont je donne la recette ici peut évidemment très bien accompagner n'importe quelle pièce de venaison tout comme un beau gigot d'agneau ou un filet de bœuf.

PRÉPARATION :

La marinade doit être préparée la veille.

Peler l'oignon, les carottes, le céleri et les gousses d'ail, les couper en très petits dés.

Placer ces légumes dans une casserole plate avec 3 cuillerées à soupe d'huile d'olive. Mettre à feu moyen jusqu'à ce que les légumes commencent à blondir. A ce moment, ajouter 10 cl de vinaigre de vin, laisser bouillir 5 minutes, puis verser la bouteille de vin. Ajouter 2 grosses cuillerées à soupe de poivre concassé, les baies de genièvre et le bouquet garni. Couvrir la casserole et laisser bouillonner à petit feu pendant 20 minutes.

Verser la marinade dans une grande terrine et la laisser refroidir. Lorsqu'elle est froide, y placer le filet de chevreuil sur une grille au-dessus d'une grande casserole où l'on versera la marinade. Quand la viande s'est bien égouttée, ajouter un cube de bouillon de volaille et le concentré de tomates dans la marinade, et mettre celle-ci à réduire jusqu'à ce qu'il ne reste plus qu'un quart de litre de liquide.

Je conseille de faire cuire la viande une heure avant le repas, afin de pouvoir la laisser reposer. De cette manière, le sang aura le temps de se coaguler dans les chairs, ce qui rend la viande plus goûteuse et évite que le jus ne s'en écoule lorsqu'on la coupe. Ce conseil est d'ailleurs valable pour toutes les viandes rouges à trancher.

Une heure avant de servir, préchauffer le four à 250°, thermostat 8, durant 20 minutes. Bien essuyer la viande égouttée.

Mettre 2 cuillerées à soupe de beurre dans un plat à rôtir que l'on place au four. Saler la viande sur toutes ses faces et la mettre à saisir dans le beurre chaud. Retourner et laisser cuire pendant 10 à 15 minutes selon la grosseur du filet (mais garder la viande très saignante).

Ce temps écoulé, retirer la viande et la placer sur le dos d'une petite assiette retournée dans une grande assiette. Couvrir d'une feuille de papier d'aluminium et poser le tout sur une casserole remplie d'eau chaude, mais ne bouillant pas.

Dégraisser le plat de cuisson. Y verser la marinade réduite et, à l'aide d'une spatule, décoller tous les sucs fixés au fond du plat et sur les parois. Ajouter 2 cuillerées de purée de framboises. Passer cette sauce au travers d'une passoire fine dans une casserole plus petite. Remettre à feu doux.

Délayer alors 2 cuillerées à soupe de fécule dans un

Au verso de la page précédente : Louis Outhier a découvert les saveurs asiatiques lors de ses voyages en Orient. Voici l'une de ses créations : les langoustes aux herbes thaï.

A gauche : Un autre plat créé par Vergé, le filet de chevreuil, sauce poivrade framboisée.

peu de vin ou d'eau, puis la verser par petites quantités dans la sauce en ébullition jusqu'à obtenir la consistance souhaitée. Mais attention à ne pas verser la fécule en une seule fois, la sauce risquerait d'être beaucoup trop liée.

Arrêter la cuisson. Mettre à point de sel, puis, hors du feu, ajouter 100 g de beurre et 1 cuillerée à dessert de gelée de groseilles. Chauffer les 2 cuillerées de crème double et les mélanger à 4 cuillerées de sauce. Tenir le reste de la sauce au bain-marie.

Au moment de servir, trancher le filet de chevreuil et disposer les tranches sur un plat chaud (mais pas brûlant, la viande cuisant de nouveau).

Donner un tour de moulin à poivre et napper de la sauce brune, puis faire un marbrage avec la sauce crémée.

Garnir de macarons de purée de marrons et de framboises, et éventuellement de petites poires au vin.

Louis Outhier

LANGOUSTES AUX HERBES THAÏ
(cuisine très épicée)

INGRÉDIENTS POUR 4 PERSONNES :

  2 langoustes de 800 g
20 g de beurre
  4 cuillerées à café d'herbes thaï*
  4 cuillerées à café d'échalotes hachées
20 g de gingembre émincé en julienne
80 g de carottes également en julienne fine et longue
  2 dl de porto blanc
  2 pommes fruits taillées en longs bâtonnets
    de 3 mm de côté
  2 feuilles de citronnelle
  2 cuillerées à café de curcuma
  2 dl de crème fleurette montée en chantilly

* Les herbes se présentent sous forme de pâte composée de différentes sortes de curry de piments verts et rouges ; elles peuvent éventuellement être remplacées par le curry que l'on trouve dans le commerce.

PRÉPARATION :

Partager les langoustes en deux dans le sens de la longueur, extraire les chairs de la carapace, mettre les carcasses vides à rôtir au four 7 à 8 minutes.

Dans un sautoir de 20 cm faire fondre le beurre, y faire revenir les chairs de langouste doucement, sans qu'elles ne prennent aucune couleur, en les remuant délicatement avec une spatule en bois durant 2 minutes. Les conserver à l'étuvée ou dans un four tiède.

Dans le sautoir en plein feu mettre les herbes thaï, les 2 feuilles de citronnelle, les 4 cuillerées à café d'échalotes. Le mélange devient mousseux, laisser cuire 1 minute, ajouter le gingembre, les carottes, les pommes fruits, le porto blanc et le curcuma.

L'ébullition rapide doit se poursuivre jusqu'à évaporation du liquide. Incorporer la crème montée en chantilly, saler. Laisser reprendre l'ébullition et napper les chairs de langouste après les avoir réintroduites dans leur carapace.

Pour faciliter le prélèvement des chairs de langouste, les plonger 3 minutes dans l'eau bouillante avant de les couper dans leur longueur.

Louis Outhier

MILLEFEUILLE DE SAUMON AU CERFEUIL

INGRÉDIENTS POUR 4 PERSONNES :

400 g de pâte feuilletée

400 g de saumon en escalope fine coupée à la façon saumon fumé (2 à 3 mm d'épaisseur)

30 g de beurre

2 cuillerées à café d'échalotes hachées

15 cl de vin blanc sec

3 dl de crème fleurette

4 cuillerées à potage de cerfeuil ciselé
  sel, poivre de Cayenne

PRÉPARATION :

Étendre la pâte feuilletée de façon à obtenir un carré de 40 cm de côté. Cuire à four chaud.

PRÉPARATION DE LA SAUCE :

Dans une sauteuse avec 20 g de beurre, faire suer doucement les échalotes hachées. Mouiller avec le vin blanc, laisser réduire à sec (évaporation complète du liquide). Ajouter la crème fleurette et laisser bouillir 4 minutes.

MONTAGE :

La pâte feuilletée cuite, la diviser à l'aide d'un couteau-scie en trois bandes égales. Sur deux de ces bandes, disposer régulièrement les escalopes de saumon que l'on fera cuire successivement dans une poêle très peu beurrée 2 secondes de chaque côté. Superposer ces deux montages et terminer avec la dernière bande de pâte feuilletée.

Toute cette opération doit se faire très rapidement sur feuilletage déjà chaud.

Diviser, toujours à l'aide d'un couteau-scie, en quatre parties égales. Napper de sauce bouillante et terminer avec le cerfeuil ciselé.

Michel Guérard

LA CORNE D'ABONDANCE AUX FRUITS GLACÉS

INGRÉDIENTS POUR 4 PERSONNES :

350 g de pâte feuilletée fraîche ou surgelée
  4 cuillerées à soupe de crème Chantilly
 25 cl de glace pistache
300 g de coulis de framboise
 60 g de sucre glace
  1 poignée de farine

INGRÉDIENTS DE LA GARNITURE :

250 g de framboises fraîches
125 g de fraises fraîches
  1 kiwi coupé en quatre et émincé en éventail
  1 mangue où l'on aura prélevé quatre morceaux coupés en éventail
  1 poire coupée en quatre et émincée en éventail
  1 grappe de raisin
  1 bouquet de menthe
  1 bouquet de verveine

PRÉPARATION DES CORNETS :

Fariner la table de travail, y étendre la pâte feuilletée en lui donnant la forme d'un rectangle de 12 cm sur 40 cm et 2 mm d'épaisseur.

Découper net au couteau tranchant quatre bandes de 3 cm de large et 40 cm de long. Enrouler chaque bande autour des cornets beurrés en partant de la pointe, monter en spirale. Terminer en rabattant le reste de la pâte à l'intérieur du cornet.

Sur la table de travail saupoudrer abondamment les cornes des 60 g de sucre glace. Poser sur une plaque et cuire dans un four chaud (220°, thermostat 7) pendant environ 20 minutes.

Les cornes doivent alors avoir pris une belle couleur noisette.

Sortir du four et laisser refroidir sur grille.

FINITION ET PRÉSENTATION :

A l'aide d'un couteau-scie, parer le haut de la corne à 5 mm du bord, retirer le moule. Poser la corne en haut de l'assiette remplie d'une cuillerée à soupe de crème Chantilly. Déposer devant 3 cuillerées à soupe de coulis de framboises.

Disposer tous les fruits sur le coulis, piquer de feuilles et de pointes de verveine et de menthe.

Placer la boule de glace dans l'embouchure de la corne.

Le millefeuille est une invention typiquement française. Dans le millefeuille de saumon au cerfeuil de Louis Outhier les échalotes se marient au saumon dans une sauce à la crème et au vin blanc.

LES RAVIOLES DE TRUFFES
A LA CRÈME DE MOUSSERONS

INGRÉDIENTS DE LA PÂTE A RAVIOLE:

150 g de farine
  1 œuf
  1 jaune d'œuf
  5 g de sel
  1 cuillerée d'huile d'olive
    eau en quantité suffisante

INGRÉDIENTS DE LA DUXELLE DE CHAMPIGNONS:

400 g de champignons de Paris bien blancs
  80 g d'échalotes hachées
  10 g de sel
  5 tours de poivre
  2 jus de citron
  1 dl de crème
  5 cl de jus de truffes

200 g de beurre
  2 cl de vin blanc
  1 cuillerée à soupe de farine
  1 pointe d'ail

INGRÉDIENTS DE LA SAUCE:

200 g de mousserons
  1 dl de jus de truffes
1/2 litre de crème fleurette
500 g de beurre
    sel, poivre

INGRÉDIENT PRINCIPAL:

Truffe en demi-rondelles de 6 à 7 g

Confectionner la pâte à raviole en mélangeant tous les ingrédients dans un «robot ménager». Envelopper la pâte dans un sac plastique hermétique et la laisser se reposer au réfrigérateur pendant 6 heures.

Confectionner la duxelle de champignons de façon classique en prenant garde qu'elle soit hachée finement. Bien laisser refroidir.

Michel Guérard remplit ses délicats ravioles de truffes, de champignons et d'échalotes.

Au verso: Montage raffiné qui est l'un des secrets de l'élégant dessert de fruits glacés de Michel Guérard.

Étaler la pâte à raviole très finement et tailler des ronds de 8 cm de diamètre à l'aide d'un emporte-pièce. Au centre de chaque rond, poser une cuillerée à café de duxelle, puis une demi-rondelle de truffe de 6 à 7 g et enfin une autre cuillerée à café de duxelle. Mouiller les bords de chaque raviole avec un pinceau mouillé. Fermer chaque raviole bien hermétiquement en les pinçant avec les doigts.

Faire cuire les ravioles à l'eau salée durant 10 minutes sans que l'eau ne bouille pour éviter qu'elles n'éclatent. Les rafraîchir à l'eau froide et les égoutter sur un linge sec. Leur donner une jolie forme à l'aide d'un emporte-pièce cannelé.

Mettre les mousserons dans une casserole avec le jus de truffe. Ajouter la crème et faire cuire quelques minutes. Ajouter le beurre. Saler, poivrer.

Réchauffer les ravioles à la vapeur. Napper chaque fond d'assiette avec la sauce aux mousserons et poser dessus deux ravioles par assiette. Décorer de quelques pluches de cerfeuil.

LES ÉCREVISSES CUITES A L'ÉTOUFFÉE EN MARINIÈRE DE LÉGUMES

INGRÉDIENTS POUR 4 PERSONNES :

40 pièces d'écrevisses de 60 g environ
1/2 litre de jus de moules
6 feuilles de basilic frais hachées et broyées au mixer avec 1 cuillerée à soupe d'huile d'olive
100 g de beurre frais
5 cl de vin blanc
1 gousse d'ail hachée
pluches de cerfeuil et de persil
1 bouquet garni
sel, poivre

INGRÉDIENTS DE LA GARNITURE DE LÉGUMES :

4 carottes nouvelles avec fanes
4 navets nouveaux avec fanes
4 petits poireaux
4 petites pommes de terre Roseval
8 gousses d'ail en chemise
4 échalotes en chemise
4 oignons nouveaux avec tiges

CUISSON DES LÉGUMES :

Cuire les carottes, oignons et navets dans de l'eau salée et légèrement sucrée.

Cuire les pommes de terre avec leur peau dans de l'eau salée avec les 8 gousses d'ail en chemise et les échalotes.

Cuire les poireaux dans de l'eau bouillante salée.

CUISSON DES ÉCREVISSES :

Dans une cocotte en fonte, disposer tous les légumes bien rangés.

Mouiller du jus de moules et du vin blanc. Porter à ébullition sur le feu. Jeter les écrevisses et le bouquet garni. Couvrir et cuire 5 minutes.

Laisser étuver 2 minutes hors du feu.

FINITION ET PRÉSENTATION :

Retirer les écrevisses et les disposer en bouquet sur l'assiette.

Retirer les légumes. Couper les carottes et les navets en éventail ; les pommes de terre en rondelles puis reconstituées. Disposer les autres légumes dans le haut de l'assiette.

Mettre la cocotte sur le feu. Ajouter le basilic et l'ail hachés. Amener à ébullition et incorporer le beurre.

Vérifier l'assaisonnement. Passer au chinois. Ajouter le persil.

Napper à l'aide d'une cuillère les écrevisses et les légumes.

Parsemer de pluches de cerfeuil.

Composition colorée d'écrevisses et de petits légumes créée par Michel Guérard.

LE TOUR DE FRANCE
DES NOUVEAUX "GRANDS" DE LA CUISINE

Tandis que Bocuse, Troisgros et les autres pères de la cuisine moderne prenaient quelques rides, une nouvelle génération de chefs, entre vingt-cinq et trente-cinq ans, poussait impatiemment derrière eux. Cette flambée de talent et d'enthousiasme qui se manifeste depuis quatre ou cinq ans dure encore et ne semble pas près de s'éteindre.

Ces hommes et (plus rarement) ces femmes sont les «nouveaux cuisiniers». Profitant aussi bien des progrès que des erreurs de la nouvelle cuisine, ils ont trouvé un juste équilibre entre le passé et le présent. S'ils ont banni les excentricités les plus insupportables de l'école moderne, ils ne sont pas revenus pour autant à la grande cuisine d'hier. Ils vont plutôt chercher leur inspiration dans le terroir régional dont ils rendent les plats plus légers et auxquels ils donnent un style plus proche de nous. Surtout, ils cherchent, ils inventent, ils créent, et un certain nombre d'entre eux ont non seulement rejoint plusieurs de leurs aînés mais les ont dépassés, en termes de célébrité et de talent.

On ne peut vous les présenter tous car ils sont trop nombreux, mais nous vous proposons de faire ensemble un rapide tour de France, à la recherche des plus talentueux. Bien entendu, on ne peut tous les mettre sur le même plan. Certains sont de grands maîtres comme Alain Senderens, Joël Robuchon, Jacques Maximin, Marc Meneau ; d'autres sont en train de le devenir, comme Michel et Jean-Michel Lorain, Jean Bardet, Bernard Loiseau, Pierre Gagnaire, Michel Bras, Guy Savoy ou Alain Dutournier. D'autres encore, comme dans une course serrée, les frôlent presque sur la ligne d'arrivée, c'est affaire de nuances et ça n'est pas le lieu, ici, de les classer comme dans un guide. Sachez simplement que la quarantaine de chefs que nous vous proposons de visiter représente la «crème de la crème».

Nous partirons de Paris pour aller dans le sens des aiguilles d'une montre. Il est inutile de revenir sur Alain Senderens et son Lucas-Carton, dont il a déjà été parlé abondamment.

Joël Robuchon, timide et modeste, était chef à l'hôtel Nikko de Paris quand nous l'avons rencontré pour la première fois en 1978. Il nous avait étonnés et aujourd'hui il nous éblouit. Il est l'un des tout premiers talents de France, et donc du monde. Entre-temps, il s'est installé chez lui dans un décor charmant de murs roses, de chintz à fleurs, et il est presque aussi difficile d'obtenir une table pour le dîner qu'une audience chez le Pape. Il a gardé de ses années de jeunesse à la campagne des goûts presque paysans et le respect religieux des produits et de la pureté des saveurs. Mais c'est

Alain Senderens fait mariner le chevreuil dans un mélange de vin rouge, d'échalotes, de vinaigre de framboise et de tiges de persil, avant de le faire cuire au four. Le plat est servi avec du beurre de genièvre.

aussi et surtout un créateur éblouissant et si vous trouvez chez d'autres un plat qui ressemble à l'un des siens, c'est qu'il a été copié. Jamais l'inverse.

Il possède en outre l'art suprême de présenter les plats, si bien que la fête est totale. Vicieusement, on aimerait leur trouver quelque défaut, mais non, tout est bon, tout est merveilleusement bon. La crème de chou-fleur à la gelée de caviar comme le homard poivré aux lamelles d'artichaut, sautées à l'huile d'olive, avec une pointe de curry ; la morue aux fèves sauce soja comme l'admirable tête de cochon mijotée et accompagnée de la meilleure purée de pommes de terre à l'huile d'olive que vous ayez jamais mangée ; les ravioli de langoustines au chou comme les ris de veau aux épinards, la canette aux épices ou le rôti d'agneau en croûte de sel. Et aussi tous les desserts qui, de la crème brûlée au gâteau au chocolat amer, prolongent l'état de grâce. Entre les mains de Robuchon, même une salade devient un chef-d'œuvre.

Guy Savoy n'a pas eu, comme Joël Robuchon, la chance de trouver, jusqu'à présent, un restaurant à la mesure de son talent. Il doit s'accommoder de cuisines minuscules, d'une salle étriquée et il en souffre. Néanmoins, on s'y presse car la finesse de sa cuisine fait oublier le reste. Ses plats marient, avec une grâce extraordinaire, les saveurs, les consistances et les arômes, jamais écrasés par des sauces abusives mais au contraire magnifiés par des jus, des coulis et des essences de viande ou de légumes qui donnent à sa cuisine une subtilité rare. Vous vous ferez la bouche avec une petite assiette combinant une huître pochée, une mousse d'huître et une gelée d'huîtres. Viendront ensuite des petits morceaux de homard enroulés dans des feuilles d'épinards, servis avec des pois gourmands et une sauce divine faite avec la carcasse et le corail du homard. Puis, sur un fond de pommes de terre, un filet de lotte, presque caramélisé, dans un jus à l'échalote, sans vin blanc ni vinaigre. Puis encore, un filet de rouget

Guy Savoy

Alain Dutournier
Le Carré des Feuillants

poêlé avec du foie de poulet et de la chicorée amère. Et aussi des ris de veau rissolés au beurre, avec de petits champignons bien fermes. Enfin, un blanc de poulet, légèrement caramélisé, avec des fèves fraîches. Pour terminer en beauté, un millefeuille à la crème pâtissière, léger comme un nuage. Un choix parmi d'autres, car Guy Savoy renouvelle souvent sa carte et on ne peut jamais le prendre en défaut d'imagination.

Alain Dutournier, malgré de nombreuses années parisiennes, reste très marqué par son Sud-Ouest natal. Tendre, intelligent, maîtrisant avec un égal bonheur la tradition du terroir et la nouveauté, ce paysan de Paris est l'exemple même du vrai cuisinier moderne, épris de saveurs pures, solidement attaché à ses racines et en même temps ouvert à l'invention — la vraie, celle qui ne sombre pas dans les chichis de la mode. Sans abandonner le Trou Gascon où a débuté son ascension et qu'il a confié à sa femme, il s'est installé avec son équipe au fond de la cour d'un très bel immeuble de la rue des Pyramides où s'élevait jadis le couvent des Feuillants — d'où le nom «Carré des Feuillants». Ce Gascon mêle avec un égal bonheur la cuisine de son terroir (admirable bœuf de Bazas grillé au charbon de bois, véritable agneau de Pauillac rôti à la broche, volailles de

Chalosse au céleri, ballottine de queue de bœuf braisée au coulis de cèpes) et ses idées du moment qui seront par exemple une très savoureuse terrine de colvert aux châtaignes, un bouillon de coquillages à l'orge perlé, une salade tiède de langoustines aux mangues vertes, un sauté de jarret de veau aux épices indiennes ou une pastilla de morue à la vinaigrette d'oursins.

A ses plats les plus simples comme les plus élaborés, Dutournier apporte cette élégance naturelle et cette subtilité de goût qui sont la marque de la culture et du génie gascons. Il arrive même à donner de l'esprit à sa carte des vins où se glissent toujours de véritables trouvailles, des crus à demi ignorés, des millésimes condamnés et pourtant délicieux.

Michel Rostang, dont le père tient la célèbre Bonne Auberge à Antibes, s'est installé dans l'ancien restaurant de Denis, un grand chef extravagant, aujourd'hui disparu, dont la célébrité franchit l'Atlantique, il y a une dizaine d'années, lorsqu'il servit à Craig Claiborne, du *New York Times*, le «repas le plus cher du monde». Michel Rostang a fait de ce restaurant, jadis totalement dénué de charme, un des lieux les plus élégants de Paris et sa cuisine combine admirablement les styles bourgeois et moderne. Vous passerez, dans

83

Si le restaurant de Joël Robuchon dégage une atmosphère d'autrefois, sa cuisine n'a pourtant rien de démodé ! Plusieurs de ses collègues considèrent Robuchon comme le cuisinier le plus original de France.

une atmosphère intime et raffinée, une délicieuse soirée en goûtant, par exemple, les œufs de caille farcis aux oursins, l'aile de raie pochée au beurre noisette, la galette croustillante de saumon sauvage cru, les rougets dont le foie est lié à une sauce à la crème, les ravioles de fromage de chèvre pochées dans un bouillon de poule, le pigeonneau à la vapeur farci de riz sauvage et de foie gras ou un admirable pot-au-feu, bien dégraissé.

L'auberge de Jacques Cagna, aménagée sur la rive gauche, dans une ravissante maison du XVIIe siècle, est devenue un petit bijou, avec son plafond aux grosses poutres de chêne, ses tableaux flamands et ses tables éclairées à la chandelle. La cuisine de ce jeune chef, fin et ardent, est moderne sans maniérisme, légère sans fadeur, avec, au contraire, des goûts toujours pointus et relevés. Ses rougets aux fèves, au thym et à la coriandre, son civet de joues et de pieds de porc au vin rouge, ses ravioli à la purée d'ail doux, son filet de barbue à la mousse de homard, sa côte de bœuf écossais, poêlée aux échalotes, son canard au vin de Bourgogne, relevé de zestes de citron et d'orange, et son gâteau au chocolat et aux noix sont proches de la perfection. S'il lui reste encore dans sa cave une bouteille de côte-rôtie La Mouline (un grand vin des Côtes du Rhône), arrachez-la-lui : ce vin est grandiose.

Deux jeunes cuisiniers sont en train de rejoindre le peloton des «grands». Le premier, Philippe Groult, a travaillé pendant neuf ans avec Joël Robuchon et depuis qu'il s'est installé aux fourneaux du Manoir de Paris il fait accourir tous les gourmands avec une cuisine qui évoque celle de son maître mais ne la copie pas. Sa morue fraîche aux anchois, ses langoustines poêlées aux courgettes, son pied de porc braisé aux lentilles, son pigeonneau à l'étouffée, son gâteau fondant de truffes au chocolat sont parfaits, non seulement par leur présentation, mais aussi par leur finesse et leur personnalité.

Le second, Régis Mahé, est un petit jeune homme tout timide qui est monté à Paris après avoir été l'adjoint de Jacques Maximin, à Nice. Il tient aujourd'hui les fourneaux du Bourdonnais, un des restaurants les plus romantiques et les plus charmeurs de la rive gauche, non loin de la tour Eiffel. Le soleil du Midi pointe dans sa cuisine, légère, fine, harmonieuse et toute en saveurs fines (soufflé d'artichaut au foie gras, daube de canard et de pied de porc en gelée, filet d'agneau aux girolles et aux ravioli farcis au fromage de chèvre et aux herbes, mixed-grill de rougets, daurade et sardines, cuites dans leur peau).

Il existe en France une très ancienne tradition de femmes cuisinières, mais rares sont celles qui échappent à la cuisine bourgeoise pour imposer leur propre style. A Paris, Dominique Nahmias est la meilleure. Propriétaire, avec son mari Albert, d'Olympe, un restaurant du soir, de style 1930, où viennent volontiers les vedettes du show-biz, elle a acquis une grande réputation, grâce à son programme télévisé mais aussi, bien sûr, une cuisine très personnelle, d'inspiration plutôt provençale par l'utilisation fréquente et savante d'herbes et d'épices. Sa daurade crue à la ciboulette, nappée d'un mélange d'huiles de noisette, d'olive et de sauce au soja, ses huîtres tièdes aux pâtes fraîches, son turbot à l'huile d'olive, pois gourmands, poivrons et aubergines, ses écrevisses aux artichauts, son canard fumé à l'aigre-doux et son merveilleux fondant au chocolat sont parmi les créations les plus marquantes de cette jeune femme qui se destinait au barreau et a été frappée par le démon de la cuisine.

Comparé à ces jeunes, Jacques Le Divellec pourrait passer pour un vieux. Ce serait pourtant mal connaître l'exceptionnelle jeunesse de ce quinquagénaire qui a révolutionné la cuisine du poisson. Après avoir tenu pendant vingt ans le meilleur restaurant de La Rochelle, il est venu s'installer à Paris, sur l'esplanade des Invalides, où il a ouvert, à son nom, un élégant restaurant, dans le style «Yacht Club», qui ne désemplit pas. Il a pour le poisson une véritable religion et ne tolère pas, comme c'était de règle dans la cuisine «élégante», qu'on en détruise le goût soit en le cuisant trop, soit en l'étouffant sous des sauces riches et envahissantes ou en le farcissant de mousses totalement inutiles. Mais il ne se contente pas non plus de mettre le poisson dans une poêle ou sur le gril et de le servir tel quel. Son talent est de le cuisiner sans lui faire perdre pour autant sa saveur naturelle. Vous le constaterez en goûtant son court-bouillon d'anguille, de raie, de rouget et de coquillages, son bar rôti dans sa peau, ses huîtres à peine cuites dans des haricots de mer, sa daurade braisée au fenouil ou son turbot sauté aux pâtes fraîches avec un sabayon à la ciboulette.

Enfin, à quelques kilomètres de Paris, dans une grande villa Second Empire au cœur du parc de Maisons-Laffitte, il faut donner une place de choix à un autre véritable créateur: François Clerc, le propriétaire de la Vieille Fontaine. C'est le restaurant préféré de Catherine Deneuve qui, à la moindre occasion, saute dans sa voiture pour venir manger des «aumônières de caviar» (de fines crêpes farcies de caviar), des millefeuilles de saumon à la graine de moutarde, de la raie à la crème d'oursin, un extraordinaire pâté de pigeonneau autour duquel s'enroule un turban de macaroni, du gigot d'agneau cuit pendant sept heures avec des choux au beurre et à la crème et de fantastiques desserts.

Maintenant, quittons Paris et prenons la route du soleil qui, par la Bourgogne et la vallée du Rhône, conduit à la Côte d'Azur.

La Bourgogne a toujours joui d'une réputation gastronomique exceptionnelle, et pourtant il y a dix ou quinze ans, à part un ou deux restaurants, on y mangeait plutôt mal. Les plats ne variaient jamais, étaient écrasés sous des sauces lourdes et indigestes et même de vénérables spécialités

Dans le vignoble familial de Joigny, Jacqueline Lorain tient dans la main ce qui deviendra plus tard un premier cru de bourgogne.

comme les escargots ou le coq au vin étaient le plus souvent assez misérables.

La métamorphose s'est amorcée avec l'ascension de la nouvelle cuisine, et l'on peut dire que la Bourgogne est aujourd'hui une formidable forteresse de la gastronomie française, à rendre jaloux même les Lyonnais qui se targuaient pourtant d'être les meilleurs.

Première étape: Joigny, où la vieille auberge de la Côte Saint-Jacques vient de se changer en un luxueux et ravissant hôtel dont les appartements, somptueux, dominent la rivière. Michel Lorain, le propriétaire, était un chef de la vieille génération, et s'il ne manquait pas de talent, il le gâchait un peu par trop de préparations tarabiscotées. Il s'est mis à évoluer il y a cinq ou six ans et le style de la cuisine s'est transformé définitivement lorsque, récemment, son jeune fils, Jean-Michel, l'a rejoint après un stage chez Fredy Girardet.

La finesse, la subtilité et l'intelligence des plats font à présent de la Côte Saint-Jacques l'une des premières tables de France. La gelée de carpe, le gaspacho de langoustines à la crème de courgettes, les coquilles Saint-Jacques et le foie gras en papillote, le dos de saumon en vessie, les escargots à la crème de persil et à la fondue de tomate, le pigeon à l'ail doux et à la galette de pommes de terre, le rognon de veau aux artichauts et aux poivrons, le canard aux lentilles et oignons, les innombrables desserts, tout révèle une perfection dans l'art des cuissons et le mariage des saveurs.

Jacqueline, la femme de Michel Lorain, est une sommelière experte et vous lui ferez entièrement confiance pour qu'elle vous déniche le meursault ou le chambertin dont vous rêviez.

Seconde étape : Marc Meneau, à Saint-Père-sous-Vézelay. Autant vous le dire tout de suite : chez lui, tout est exquis ! L'atmosphère intime de sa villa bourgeoise au milieu d'un petit parc traversé par un ruisseau où barbotent les canards sauvages, l'accueil de sa femme Françoise, la reine des hôtesses, et, bien sûr, sa cuisine.

Son secret est qu'il ne fait pas la cuisine pour suivre la mode ou épater ses confrères mais pour se faire plaisir, à lui et à Françoise. Normal, direz-vous, un cuisinier qui aime sa cuisine ! C'est pourtant beaucoup plus rare qu'on ne pourrait le croire. Formidablement exigeant avec lui-même, cet homme est un artisan qui crée avec une âme d'artiste. On ne sait qu'admirer le plus : la richesse de son inspiration, le naturel de son style, la fraîcheur des saveurs, la limpidité des sauces et des jus, la perfection des dosages et des assaisonnements. Viscéralement attaché à son terroir, Meneau transmet à chacun de ses plats les parfums et les goûts de la campagne qui l'entoure. Si dans sa technique il est moderne, dans son cœur il est resté un paysan.

Sous la verrière du jardin d'hiver qui domine le parc, vous ne verrez que des visages épanouis. Le vôtre le sera à son tour, après que vous aurez goûté les petites boulettes de pâte légère contenant du foie gras presque liquide, l'assiette de légumes du jardin dans un bouillon parfumé à l'essence de volaille, le fabuleux homard à l'huile d'olive, accompagné d'une exquise purée de fenouil, le foie de canard caramélisé aux sucs de champignons, les filets de rouget au cresson, le turbot entier rôti dans sa peau et servi avec des oignons au jus de viande (le mariage du siècle !), le saumon de Loire aux paillettes de pommes de terre (un saumon gras comme un moine, tendre comme un ange), la tarte de lapin en civet, le filet de veau truffé, rôti aux artichauts, le soufflé aux deux chocolats — l'un solide, l'autre liquide — la glace à la vanille et aux cerises, la crème brûlée aux noix ou le fantastique millefeuille à l'ananas. Vous sortez de là si léger que vous êtes prêt à recommencer aussitôt.

Et tout, ici, ne peut que vous réjouir : les délicieux appartements aménagés dans un très vieux moulin, les petites chambres aux couleurs fraîches et joyeuses, les petits déjeuners somptueux, les vins exquis et tout alentour les verts prés et les châteaux de la campagne bourguignonne. Si l'on n'est pas ici chez le Bon Dieu, en tout cas, c'est tout comme.

Troisième étape : la Côte-d'Or, à Saulieu. Avant la dernière guerre et jusque dans les années 60, l'auberge d'Alexandre Dumaine avait constitué un arrêt obligatoire sur la route de Lyon et de la Côte d'Azur. Toutes sortes de célébrités mondiales y avaient défilé. Puis, après la retraite de

Marc Meneau, chef à l'âme d'artiste, cuisine pour son plaisir et pour celui de sa femme.

Dumaine, commença le déclin. La maison était dans un état lamentable lorsqu'il y a quelques années vint s'y installer le jeune Bernard Loiseau, dont nous avions signalé le grand talent alors que, totalement inconnu, il travaillait dans un restaurant parisien. Aujourd'hui, les travaux ne sont pas terminés, mais avec sa femme Chantal, qui a beaucoup de goût, Bernard a aménagé de charmants appartements au-dessus du jardin. La Côte-d'Or est à présent une des haltes les plus agréables de Bourgogne malgré quelques imperfections.

Bernard Loiseau est un authentique créateur. Obsédé par la lourdeur des sauces, il les a à peu près bannies de sa cuisine. Il prépare même des jus à l'eau, ce qui n'est pas apprécié de tout le monde. Son goût de l'invention lui fait commettre parfois des erreurs, mais nous attestons avoir fait chez lui quelques-uns des meilleurs repas de notre vie. Avec, par exemple, une toute simple mais admirable fricassée de légumes au cerfeuil, des rougets aux artichauts, du homard rôti «à l'eau», des escargots au beurre d'orties, de la daurade au vin rouge et à la fondue d'échalotes, du cuissot de lapin braisé aux choux, des rognons et

ris de veau aux girolles et aux poireaux, si minuscules qu'il avait fallu sûrement une pince à épiler pour les arracher du potager. Buvez le bâtard-montrachet de Jean-Noël Gagnard, le beaune Vignes Franches de Jacques Germain ou le santenay de Simon Bize, et vous ne serez pas l'homme le plus malheueux du monde.

Quatrième étape : Lameloise, à Chagny. Pas de jardin ni de chants d'oiseaux dans le vieil hôtel de la famille Lameloise, en plein milieu de cette petite ville sans charme entourée de vignes. Mais un élégant décor à l'ancienne, un accueil exquis, de somptueux petits déjeuners et la cuisine du jeune Jacques Lameloise qui, en relayant son père, Jean, aux fourneaux, a donné au répertoire très classique de la maison une nouvelle jeunesse. Goûtez en particulier sa terrine de lapereau à la menthe fraîche, ses grenouilles sautées à l'ail doux, sa gelée d'écrevisses aux herbes, son pigeonneau de Bresse en vessie, accompagné de pâtes fraîches au foie gras, son millefeuille aux fraises et fiez-vous aux conseils de Georges Pertuiset, l'un des plus savants sommeliers de France.

Cinquième étape : Georges Blanc, à Vonnas. Il y a des cuisiniers et il y a des restaurateurs. Quand un homme est les deux à la fois et qu'il élève ces deux activités à un niveau de quasi-perfection, il fait à sa clientèle le don d'une satisfaction rare. D'une auberge familiale tout à fait banale mais où la cuisine de sa grand-mère était, il y a cinquante ans, célèbre dans toute la région, il a fait un des lieux de séjour les plus agréables de France. Tout ce que l'on peut attendre des plaisirs de la vie s'y trouve réuni : les meubles anciens qui sentent bon la cire, l'accueil qui vient droit du cœur, le jardin traversé par une rivière au charme romantique, la piscine, les jolies chambres où l'on vous apporte le matin des croissants, des brioches et des confitures maison devant lesquelles il est difficile de ne pas craquer. Georges Blanc court la campagne et

L'Espérance, l'auberge de Marc Meneau, bénéficie des charmes de la Bourgogne.

les fermes de la Bresse pour en rapporter les poulets, les pigeons, les canards, les grenouilles, les légumes et les herbes fraîches qui donnent à ses plats une fraîcheur et une saveur incomparables. Il se refuse obstinément, contrairement à d'autres, à quitter ses cuisines, et cela explique sans doute la précision et la régularité d'une cuisine apparemment simple mais très savante qui marie à merveille le passé régional et les goûts actuels.

Dans la grande salle à manger aux pierres apparentes, décorée d'une gracieuse tapisserie de l'époque Louis XIV et d'immenses bouquets de fleurs, il sert avec un soin identique une centaine de couverts. Et jamais une fausse note. Chaque repas est d'une harmonie parfaite. La tomate et le foie gras, glissés dans un œuf à la coque, font une alliance surprenante mais délicieuse. La salade tiède de cuisses de grenouilles à la ciboulette est judicieusement relevée d'un filet de vinaigre. La cassolette froide de pinces et de queues d'écrevisses prend une saveur nouvelle, grâce à une sauce citronnée aux herbes, la traditionnelle crêpe ronde de pomme de terre se transforme avec un

88

délicat mélange de saumon fumé et de caviar. Ne manquez pas non plus la tomate farcie aux escargots, nappée d'une merveilleuse sauce aux herbes et au vin blanc, les ravioli farcis de foies de volailles dans une sauce, très relevée, au vin pétillant de Bourgogne ou le pigeon de Bresse en cocotte et flanqué de légumes tellement frais qu'ils ont un goût presque inconnu. Nulle part ailleurs vous ne goûterez des côtes d'agneau comme ici. Il les fait mariner deux jours dans de l'huile d'olive à l'ail et les fait cuire ensuite dans un fond d'agneau et de veau, monté au beurre. Une splendeur. Il n'est pas non plus une meilleure meringue au café que la sienne. D'ailleurs, tous ses desserts atteignent la perfection. Comme aussi ses vins, choisis par un des meilleurs «nez» de France, Marcel Périnet.

Vous voici aux portes de Lyon. Une ville très fermée sur elle-même et très attachée à sa gastronomie traditionnelle mais où il convient néanmoins d'aller rendre visite à deux jeunes cuisiniers qui ont réussi à imposer un style quelque peu différent. Le premier est Jean-Paul Lacombe, qui a succédé à son père dans un très vieux bistrot plein de charme, Léon de Lyon. Ce jeune homme extrêmement raffiné a réussi le miracle de mener de pair la cuisine lyonnaise classique — allégée par ses soins — et une autre, plus personnelle et plus moderne. Il passe de l'une à l'autre avec un brio remarquable et vous en faites de même en sautant du gras-double aux tomates à la terrine de foie gras au fond d'artichaut, de la traditionnelle mousse de brochet à l'exquise gelée de rougets au fenouil ou du sauté de gigot d'agneau aux fèves à une délicate terrine de pamplemousse rose. Et vous boirez, dans cette salle à manger d'un autre âge décorée de tableaux et d'instruments de cuisine, les meilleurs beaujolais du monde.

L'autre «créateur» lyonnais est un garçon d'une trentaine d'années: Philippe Chavent, installé dans une des plus jolies maisons Renaissance du vieux Lyon, la Tour Rose. Non sans mal, il a

Des clients profitent d'un repas de fin d'après-midi chez Bernard Loiseau à l'Hôtel de la Côte d'Or.

réussi à convaincre les Lyonnais qu'un rouget poêlé au lard et au curry, un civet d'huîtres ou du ris de veau à la crème de pois cassés additionnée de pulpe d'orange, cela pouvait être très bon !

A soixante kilomètres au sud-ouest de Lyon, Saint-Étienne serait une ville parfaitement assommante, même pour un touriste en état de catalepsie, s'il ne s'y trouvait un des jeunes cuisiniers les plus passionnants du moment : Pierre Gagnaire. Celui-ci, qui s'ennuyait à mourir dans le restaurant paternel, a repris un ancien atelier de photographe qu'il a aménagé avec Gabrielle, sa jolie épouse d'origine allemande, en une sorte de loft très original et presque new-yorkais, avec ses tableaux modernes, ses peintures laquées aux couleurs vigoureuses et sa forêt de plantes vertes. Bien qu'il soit encore relativement peu connu, nous n'avons pas craint de lui donner récemment sa quatrième « toque », car il incarne à merveille le cuisinier d'aujourd'hui, avec toute la puissance de création que ce mot comporte. Il évite tous les dangers de la cuisine snob et fait preuve d'une subtilité rare. Son imagination est telle qu'après vous avoir proposé un menu, il est capable de vous en servir un autre dont il aura eu l'idée à la minute ! Nous exagérons à peine. En tout cas, rien de ce qu'il met dans votre assiette n'évoque la cuisine des autres, qu'il s'agisse des scampis de langoustines au jus de betterave et à la fondue de courgettes, du gâteau d'artichaut, de la compote de joues de bœuf aux navets et pois gourmands à l'huile de colza, des tranches de homard rôties aux fèves, avec un beurre à la cannelle et au cerfeuil, du curry de veau poêlé aux courgettes et aux poivrons, accompagné de croquettes de ris de veau et d'épinards aux truffes, du salmis de canard sauvage braisé dans un bouillon d'artichauts poêlés ou de cette fantastique « soupe au chocolat » où se combinent le chaud, le tiède et le glacé.

Vous ne risquez pas de rencontrer beaucoup

d'étrangers chez Pierre Gagnaire. Mais il ne faut désespérer de rien. Les frères Troisgros ont bien réussi à rendre Roanne célèbre dans le monde entier.

En repassant le Rhône, vous voilà à Valence. Ça n'est pas encore la Provence, mais il y a quelque chose dans la lumière du pays qui annonce sa proximité. Il serait absurde de faire passer Jacques Pic d'abord pour un jeune homme, ensuite pour un novateur. Néanmoins, depuis qu'il a repris la maison familiale que son père avait déjà rendue célèbre dans les années 50, il a donné à la cuisine un ton absolument neuf, qui contraste avec le charme un peu désuet de cette opulente maison provinciale, chérie par les notables de la région.

Les truffes (admirables et récoltées aux environs) accompagnées de navets, la salade de rougets aux asperges, le mixed de loup et de saumon à la sauce persil, le homard tiède aux légumes hachés et au xérès ne datent pas de 1950 : ils sont bien de notre temps et tout à fait délicieux car sous sa modestie Jacques Pic cache un goût subtil de

Les plages de Cannes attirent une foule distinguée.

grand cuisinier. Son plateau de desserts est un chef-d'œuvre et, de grâce, oubliez les bordeaux et les bourgognes. Découvrez plutôt les seigneurs des côtes-du-rhône que sont l'immense hermitage rouge ou blanc et le châteauneuf-du-pape. Après avoir bu ces vins somptueux, vous vous demanderez sûrement pourquoi les Français les connaissent si mal.

Il y a dix ans, la gastronomie se portait mal, sur la Côte d'Azur. A part Roger Vergé et Louis Outhier, il n'y avait pas un grand cuisinier entre Saint-Tropez et Monte-Carlo. A présent, on assiste à un véritable feu d'artifice de jeunes talents. On ne les citera pas tous mais il en est un qui mérite qu'on s'attarde un peu sur lui, c'est Jacques Maximin. A trente-six ans, il est une des nouvelles stars de la cuisine française. Nous avons goûté sa cuisine pour la première fois en 1974 alors qu'il travaillait dans un obscur restaurant et déjà il n'était pas possible de se tromper sur son talent. Plus de dix ans après, il n'est toujours pas dans ses meubles, mais il songe sérieusement à quitter le Chantecler, au rez-de-chaussée du Negresco, pour ouvrir sa propre maison dans les environs immédiats de Nice. On peut en tout cas le lui souhaiter car si d'un côté le Negresco met à sa disposition des moyens considérables, de l'autre, la salle du Chantecler, dénuée de charme et de véritable élégance, constitue un handicap. Mais où qu'il se trouve, il faut aller le retrouver car ce petit homme brun et nerveux, que nous avons un jour surnommé «le Bonaparte des fourneaux», a un talent fou et même une sorte de génie. Sa faculté de création est prodigieuse et nul mieux que lui a su tirer parti de la tradition gastronomique provençale pour créer une cuisine à la fois nouvelle et fidèle à ses origines. C'est lui, par exemple, qui a lancé les fleurs de courgettes farcies, aujourd'hui imitées presque dans le monde entier. Mais on n'en finirait pas de citer ses plats, plus éblouissants les uns que les autres et qui s'attardent rarement sur une carte en perpétuel changement. On ne peut toutefois passer sous silence les plus fabuleux, comme ce homard auquel il instille du jus de truffe avant sa cuisson, ce foie gras en gelée de sauternes et aux queues d'asperges, ces coquilles Saint-Jacques coupées au couteau dans un beurre d'échalote et de truffe, cette soupe de pigeon aux lentilles et à la moelle, ce canard à

Chez Cenery, fromager à Cannes, on peut trouver des fromages provenant de toutes les régions de France.

l'ail avec son gratin de navet aux pruneaux, ce lapin gratiné aux champignons, ce macaron au rhum ou ce nougat glacé au coulis de framboises. La présentation de ces plats, la subtilité de leurs goûts, l'originalité de leurs combinaisons de saveurs relèvent du plus grand art.

En dînant chez Maximin, vous vous ruinerez, mais, au moins, avant de vous brûler la cervelle, vous aurez vécu un grand moment.

Le fantastique succès de Maximin a encouragé d'autres jeunes chefs qui eux aussi sont des créateurs et en passe de devenir à leur tour des grands noms de la cuisine. A Cannes, il y a Jacques Chibois qui fait des étincelles au Royal-Gray, le restaurant de l'Hôtel Gray d'Albion où il pratique une cuisine élégante, sans maniérisme et avec un délicieux accent provençal, et, plus âgé que lui mais tout aussi brillant, Christian Willer, à la Palme d'Or, le restaurant de l'Hôtel Martinez où il prépare, entre autres, le poisson à la perfection.

C'est également dans un hôtel, le Juana, à Juan-les-Pins, que le jeune Alain Ducasse, qui à vingt-cinq ans avait déjà réussi à passer six années chez Guérard, Vergé et Chapel, attire un monde considérable et enthousiaste dans son beau jardin. Sa soupe d'écrevisses à la ciboulette, son ragoût de coquilles Saint-Jacques et de homard, ses poissons au fenouil et ses fantastiques desserts font oublier les odeurs de pizzas et de frites qui flottent sur la ville !

Enfin, un nouveau venu que nous avions remarqué précédemment en Alsace est en train de faire une percée à Monte-Carlo, où la cuisine était depuis des années la plus décourageante et la plus chère de la Côte. Il s'appelle Dominique Le Stanc, son restaurant est décoré de façon originale d'une collection de jouets extraordinaires, et grâce à sa cuisine, moderne et subtile, la Principauté est devenue fréquentable à l'heure des repas... Mais gare à l'addition. Elle fait mal !

Si un avion supersonique vous déposait trente minutes plus tard (hélas, il n'y a qu'une longue, très longue route) à quelques centaines de kilomètres à l'ouest, chez Michel Bras, vous seriez stupéfait. Ici, les prix ont presque l'air de dater d'un autre siècle. Il est vrai qu'il faut se donner du mal pour grimper jusqu'à Laguiole, un petit village

Moutons du Berry, près de Châteauroux.

des monts de l'Aubrac, plus souvent fréquenté par les moutons que par les touristes.

Le jeune Michel Bras n'a jamais quitté sa maison de grosses pierres brutes et cette nature intacte qu'il adore. Aussi n'a-t-il subi aucune influence extérieure. Il a inventé toute sa cuisine de A à Z. Elle est tout simplement étonnante et merveilleusement bonne. Michel est un artiste né. C'est lui qui a dessiné les meubles du petit hôtel, assez modeste mais d'un goût très sûr, où il vit avec sa femme, son père, un ancien maréchal-ferrant, et sa maman qui prépare de son côté la carte des plats strictement régionaux et servis principalement à la clientèle locale de Lou Mazuc (ce mot auvergnat veut dire «la maison») Michel, lui, s'en va cueillir dans la montagne les herbes, les plantes, les champignons et même les fleurs qu'il utilisera ensuite dans sa cuisine, au gré de son inspiration. Il adore les légumes et vous n'oublierez jamais le repas «tout légumes» qu'il vous servira dans l'ancienne cave à fromages aujourd'hui salle à manger.

Mais tout est extraordinaire dans ce lieu magique : le bouillon d'artichaut et de fèves à la graisse de canard, les minuscules poireaux arrosés d'une vinaigrette à la fleur de genêt, le lapin rôti à la peau de lait et aux truffes, le sauté d'écrevisses et d'agneau aux peaux d'orange et de maïs doux, le saumon croustillant à l'oignon confit, les sorbets au céleri ou à la myrrhe, ou le feuilleté au chocolat craquant et à la crème de lait d'amande qui lui vaudrait le Nobel de la pâtisserie s'il y en avait un.

A quelques kilomètres d'Agen, la capitale du pruneau, Michel et Maryse Trama ont restauré, dans le vieux village de Puymirol, une admirable demeure qui fut, au XIIIe siècle, une des maisons de campagne des puissants comtes de Toulouse. Il fallait un sacré courage pour se lancer dans une pareille aventure : qui avait jamais entendu parler de Puymirol ? Mais peu à peu le bruit s'est répandu qu'il y avait là à l'Aubergade une des

André et Arnaud Daguin
Hôtel de France

plus séduisantes auberges du Sud-Ouest et devant les fourneaux un jeune cuisinier bourré de talent. Dès l'entrée, d'où l'on aperçoit, au fond, un splendide escalier en bois du XVIe siècle, on est sous le charme. Les grosses poutres, les meubles anciens, les tableaux, les tables de la salle à manger, nappées de lin rose et ornées de bouquets de fleurs des champs, tout est charmant et le mérite des Trama est d'autant plus grand qu'ils ne roulent pas sur l'or. On aimerait pouvoir y passer la nuit. Malheureusement, les chambres ne sont encore qu'à l'état de projet et il faut donc se contenter, pour l'instant, des talents culinaires de Michel, qui, après avoir travaillé à Paris dans de petits restaurants tout à fait ordinaires, se révèle ici extraordinairement inventif et talentueux. Du foie gras frais de canard au millefeuille au chocolat, en passant par la terrine de poireaux aux truffes, le rôti de chapon aux noix ou le veau au gingembre, il n'est pas un plat, pas un dessert qui ne suscitent l'enthousiasme. Un repas chez Trama, cela vaut bien un cours de civilisation française à la Sorbonne !

Toulouse, la «ville rose», n'est pas loin et parmi toutes les raisons de s'y arrêter (ses maisons de la Renaissance, ses musées, sa lumière et sa gaieté), il en est une qui s'appelle Vanel. Lucien

Le Saint-James est perché au sommet d'une colline qui surplombe Bordeaux.

Vanel est un jeune homme qui a allégrement dépassé la cinquantaine. Il tenait dans le Quercy une auberge très traditionnelle, puis, lorsqu'il s'est installé à Toulouse, il s'est complètement métamorphosé. S'inspirant des recettes régionales, il a imaginé toutes sortes de plats étonnants et délicieux, auxquels il applique les techniques de la cuisine moderne et son principe de légèreté. Le décor de son restaurant, au rez-de-chaussée d'un immeuble moderne, n'est pas très exaltant mais on l'oublie vite en goûtant la laitue farcie aux huîtres, les pruneaux au lard fumé, la tarte au foie de lapin et aux œufs brouillés, les crêpes farcies de cèpes, le soufflé de grenouilles, le civet de coq et de pieds de porc au vin de Cahors et le millefeuille aux poires caramélisées de ce petit homme aux cheveux gris à qui la cuisine moderne a donné une seconde jeunesse.

A Auch, André Daguin, qui est d'ailleurs un des meilleurs amis de Vanel, est une des grandes figures de la Gascogne. Cet ancien joueur de rugby, au verbe tonitruant, est viscéralement attaché à sa province, le Gers, célèbre pour son armagnac, ses foies gras et sa joie de vivre. Mais en même temps, aux approches de la quarantaine, ce traditionaliste qui avait repris la maison familiale, le très bourgeois Hôtel de France, a été saisi par le démon de la recherche et de l'invention. Il a

mis au point toutes sortes de recettes de foie gras (à la purée d'ail confit, aux langoustines, à la purée d'oseille, aux mûres, etc.), écrit un livre de cuisine, *Le Nouveau Cuisinier gascon*, et il n'arrête pas d'enrichir sa carte de plats inattendus, comme les huîtres au magret de canard fumé, la soupe de langouste et de melon ou même le sorbet à la truffe. Quand il vous dit « on mangeait moins bien en Gascogne à l'époque des Trois Mousquetaires qu'aujourd'hui ! », on finirait presque par être convaincu. Il est vrai que sa personnalité ajoute beaucoup à sa cuisine et si votre tête lui revient, alors vous devenez son ami et vous prenez autant de plaisir à l'écouter qu'à manger ce qui se trouve dans votre assiette ou à boire ses vieux armagnacs.

Vous n'avez peut-être jamais mis les pieds à Saint-Jean-Pied-de-Port, une petite ville fortifiée, à proximité de la frontière espagnole, dans le décor grandiose des Pyrénées. Fasse le ciel que vous y passiez car le jeune Firmin Arrambide, qui a repris le vieil hôtel familial, les Pyrénées, est un des meilleurs cuisiniers de la jeune génération. Sa maison est vieillotte, pas très jolie mais on vient de loin pour y manger le pâté chaud de cèpes et de girolles, les poivrons farcis à la morue enrobés dans une crêpe ultra-fine, le bar grillé dans sa peau, servi avec une fondue de tomates au thym et à la coriandre, le lapin farci aux légumes, la terrine de fruits à la mousse d'amandes, et goûter l'eau-de-vie de poire d'Étienne Brana qui est, peut-être, la meilleure du monde.

Pour en finir en beauté avec le Sud-Ouest, il faut, évidemment, faire une halte à Bordeaux. Il y a dix ans, la capitale de l'Aquitaine ne possédait plus un seul grand restaurant digne de ce nom. Tout a changé avec l'arrivée d'un jeune cuisinier, Jean-Marie Amat, qui a réinventé la cuisine bordelaise et donné une formidable impulsion à la gastronomie locale. Aujourd'hui installé dans une élégante maison, le Saint-James, perchée sur une colline verdoyante dominant Bordeaux, il a pour

Jean Bardet

Didier Clément
Le Lion d'Or

clients les grands propriétaires de vignobles et de nombreux étrangers qui viennent se régaler de ses ravioli aux cèpes, de ses filets d'anguilles sautés aux oignons, de son admirable foie de canard, de son pigeon grillé aux épices chinoises, de ses desserts inoubliables et de ses vins de Bordeaux, souvent peu connus et toujours passionnants.

Le succès remporté par Amat a incité d'autres jeunes chefs à s'installer à Bordeaux et parmi eux, trois ont conquis à leur tour la célébrité : Christian Clément, ancien second d'Alain Senderens à Paris et qui, après plusieurs années dans un bistrot de la vieille ville, vient de reprendre le célèbre restaurant Dubern dont le déclin attristait si fort les Bordelais ; Jean Ramet, un ancien élève de Michel Guérard, qui a aménagé le plus joli restaurant moderne de la ville, et Francis Garcia (Restaurant Clavel) dont le gratin d'huîtres au foie gras et le caneton au vin de Bordeaux prouvent que l'on peut être à la fois espagnol et grand cuisinier français.

Poursuivant notre tour de France d'est en ouest, nous arrivons en Bretagne. Cette province, gastronomiquement assez pauvre — hormis les poissons et les crustacés — et où jusqu'à une époque récente il n'existait pour ainsi dire pas de grandes tables, s'est à son tour réveillée.

Pour ne parler que des plus grands chefs, il faut citer Michel Gaudin — un ancien de chez Guérard — au château de Locguénolé à Hennebont, près de Lorient ; Georges Paineau au Bretagne, à Questembert (sa cuisine, résolument moderne, est une des plus excitantes de Bretagne) et Olivier Roellinger, au Restaurant de Bricourt à Cancale, qui, après avoir été ingénieur chimiste, s'est mis à la cuisine avec une passion et un talent assez surprenants.

Obliquons vers les Pays de Loire et leur douceur de vivre. Au moment où sort ce livre, il est probable que Jean Bardet ne se soit pas encore installé à Tours dans l'exquise maison Napoléon III, au milieu d'un parc dont il compte bien faire l'un des plus attrayants Relais et Châteaux de France. C'est donc à Châteauroux qu'il faut aller le chercher et que nous avons eu le bonheur de l'y découvrir, alors qu'il était totalement inconnu. Nous avons eu le coup de foudre pour le personnage, dont la bonne bouille épanouie recèle un esprit tout en finesse. Et aussi pour sa femme Sophie, dont les joues sont aussi rebondies que celles d'une pêche bien dorée et qui est une formidable experte dans l'art de marier les harmonies entre les plats et les vins. La cuisine est à leur image à tous deux : très attachée à son terroir mais en même temps débordante d'imagination, de liberté et d'invention souvent époustouflantes. Il est difficile de croire que Jean Bardet a passé une partie de sa vie à préparer des steaks-frites pour les clients des modestes bistrots où il a travaillé, lorsque l'on goûte à des plats aussi merveilleux, aussi exceptionnels que le homard rôti au four et servi avec des gésiers de canard dans un coulis au vin de Graves, le pot-au-feu de tête de veau, le steak de carpe mariné à l'huile d'olive et caramélisé ensuite au vin de Valençay ou la toute simple patte avant de lapin qui, arrosée d'une sauce au vin de Château-Chalon et servi avec des champignons sauvages croquants et des artichauts confits, devient un plat grandiose. Dans chacun des plats de Bardet on découvre à chaque bouchée des saveurs nouvelles et c'est là la marque d'un très grand cuisinier qui, par de savantes superpositions de goûts, crée la surprise.

Entre les châteaux de Blois et de Chambord, un autre cuisinier fait, depuis quelque temps, des étincelles. C'est Bernard Robin, le propriétaire du Relais, à Bracieux. Produits incomparables (les pommes de terre cultivées par son père sont aussi bonnes que des truffes !), cuisine aux parfums très subtils d'herbes fraîches, alliances de saveurs d'une parfaite harmonie, vins de Loire délicieux, tout est réuni pour vous combler de bonheur, dans cette jolie maison, à l'orée de la forêt. Ne manquez pas la morue fraîche aux épices, la gelée de lapereau aux légumes du jardin, le mixed de poissons aux pommes de terre et jus de céleri, le canard dans une sauce à l'essence de persil et le pigeonneau sauce citron.

Essayez aussi de faire une halte à Romorantin, au cœur de la Sologne. Le Lion d'Or est une très confortable auberge où le jeune Didier Clément prépare une cuisine d'une subtilité et d'une originalité remarquables. Son saumon fumé entourant un morceau de saumon frais, légèrement cuit et servi avec des radis roses dans une sauce cré-

mée, ses cuisses de grenouilles dans une salade de pourpier à la ciboulette, ses extraordinaires langoustines rôties, avec un mélange de dix épices fraîches, ses ris de veau braisés au pamplemousse, ses fromages de chèvre et ses desserts relèvent du grand art. Et si vous vous passionnez pour l'histoire de la gastronomie, parlez donc avec Christine, la femme de Didier : elle prépare, à la Sorbonne, une énorme thèse sur ce sujet.

Maintenant, nous filons vers le nord, jusqu'à Reims où Gérard Boyer est le « châtelain » comblé du plus somptueux château-hôtel qui ait été créé en France depuis longtemps. Sept hectares de verdure au milieu de la ville et dans ce château des Crayères, bâti au siècle dernier pour le propriétaire du célèbre champagne Pommery, un luxe, une élégance, un confort incomparables. Avec beaucoup de sagesse Gérard Boyer a évolué de la cuisine classique vers une cuisine sinon tout à fait moderne, du moins plus personnelle et en tout cas superbe. Commencez, par exemple, par un feuilleté d'asperges, sauce aux huîtres, poursuivez

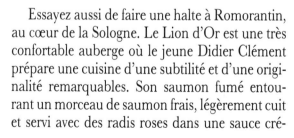

95

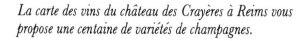

La carte des vins du château des Crayères à Reims vous propose une centaine de variétés de champagnes.

Alain Senderens
Lucas-Carton

ressant de la ville et une des meilleures tables du Nord, installé dans une demeure du siècle de Louis XIV. Ce cuisinier, formé à l'école ultra-classique, s'est complètement libéré de son goût pour la complication et les sauces trop riches. Sa cuisine a acquis une simplicité et une franchise qui la rendent délicieuse, sans qu'elle soit devenue moins savante pour autant. Elle le prouve avec, notamment, une salade tiède de homard à l'estragon, un pigeon rôti rosé accompagné d'une pêche farcie d'épices — un plat d'une subtilité exceptionnelle — et d'admirables ravioli au foie gras et aux truffes. Sa cave — bourgognes et bordeaux — est également sensationnelle.

Notre périple va s'achever à Strasbourg où, par tradition, la gourmandise n'est pas un péché mais une vertu. Le premier cuisinier de la capitale alsacienne est Émile Jüng. A ses débuts, timide, ultra-conservateur, il a par la suite lentement mais sûrement évolué. Il a fait souffler un vent frais sur la cuisine strasbourgeoise. Dans sa belle et lumineuse salle à manger du Crocodile, il vous servira par exemple un merveilleux potage à l'oie et à l'orge, un sandre à la crème et au genièvre, un coquelet extraordinairement tendre et savoureux dans une sauce au riesling, un caneton au gingembre et au genièvre — un mariage audacieux mais parfaitement réussi — ou, pendant la saison de la chasse, un succulent faisan aux lentilles et à la fleur de thym. Comme Haeberlin, à Illhauesern, Émile Jüng vénère les vins d'Alsace. Si vous-même les connaissez mal, vous serez, en découvrant les « Vendanges Tardives » de Hugel ou les tokays de Klipfel, semblable à celui qui viendrait d'apprendre que le Bon Dieu existe...

par une splendide fricassée de homard aux morilles ou un turbot grillé, accompagné d'une délicate et originale sauce au vin rouge et au miel d'acacia, puis le meilleur rognon de veau que j'aie jamais mangé, aux poireaux, champignons et ciboule, et terminez par la grande table de desserts, sans oublier, bien sûr, le champagne. Le château des Crayères, où l'on vous souhaite de passer la nuit, est le temple du champagne. Il ne se trouve pas moins de cent dix-huit champagnes inscrits à la carte ! Et dont les prix sont moins élevés que n'importe où ailleurs.

A Lille, vous vous arrêterez chez Robert Bardot, au Flambard. C'est le restaurant le plus inté-

ÉMINCÉ DE CHEVREUIL AU BEURRE DE GENIÈVRE ET BAIES ROSES

MARINADE :

1 louche de jus de citron vert
1 louche de vinaigre de framboise
15 louches de vin rouge
10 échalotes émincées
1 bouquet queues de persil

Faire mariner le chevreuil (pas trop longtemps).

Faire cuire au beurre les légumes suivants après les avoir blanchis : poivron vert, poivron rouge, poireaux, chou vert, zestes de clémentines séchés et baies roses (le tout coupé en carrés de 1,5 cm sur 1,5 cm).

BEURRE DE GENIÈVRE :

300 g de beurre
80 grains de genièvre
Passer trois fois au tamis

Faire une réduction à glace de la marinade et monter au beurre de genièvre.

Cuire du persil à la vapeur puis à la crème et mettre en barquettes.

Cuire des poivrons verts et rouges en brunoise à la crème et mettre en barquettes.

Faire un céleri farci avec mirepoix de céleri et mirepoix de fenouil cuits à la crème. Farcir le céleri creusé et cuit au lait et le braiser au four.

Cuire 120 g de filet de chevreuil au four.

Dresser la garniture au milieu de l'assiette, les barquettes et le céleri d'un côté, le chevreuil émincé de l'autre, et la sauce dans les espaces vides ou en saucière.

MIGNONNETTES DE CHEVREUIL POÊLÉES A L'AIGRE-DOUX

INGRÉDIENTS POUR 4 PERSONNES :

600 g de filet de chevreuil (paré mais non bardé)
30 + 15 g de truffes hachées
2 cuillerées à soupe de persil
1 dl de fond de gibier
2 jaunes d'œufs
3 tranches d'ananas
40 g d'airelles
1 cuillerée de vinaigre de vin vieux
3 baies de genièvre
100 g de beurre
1 cuillerée d'huile
60 g de pâte à ravioli
1/2 échalote hachée
70 g de persil plat
30 g de gorge de porc
15 g de truffe hachée
20 g de trompettes de la mort
30 g de foie gras
30 g de chevreuil

98

Couper le chevreuil en 12 mignonnettes (tranches). Mélanger les 30 g de truffes hachées et le persil. A l'aide d'un pinceau, passer chaque mignonnette au jaune d'œuf et les paner avec le mélange persil et truffe.

RAVIOLI :

Préparer la farce à ravioli en mélangeant 1/2 échalote suée au beurre, 15 g de truffes hachées, 70 g de persil blanchi essoré et haché, 20 g de trompettes de la mort sautées au beurre et hachées, 30 g de foie gras, 30 g de chevreuil haché, 30 g de gorge de porc, sel et poivre.

Étendre la pâte le plus fin possible et la séparer en deux. A intervalles réguliers, déposer des petits tas de farce. Humecter la pâte autour de la farce. Recouvrir le tout de l'autre abaisse de pâte. Bien appuyer pour faire adhérer et découper 12 ravioli avec un emporte-pièce uni.

FINITION :

Couper les ananas en 12 morceaux et les poêler au beurre.

Faire pocher les ravioli 3 minutes à l'eau bouillante salée. Les égoutter sans les rafraîchir et les rouler dans un morceau de beurre frais.

Saler et poivrer les mignonnettes de chevreuil, les cuire dans un plat à sauter avec une noix de beurre et une cuillerée d'huile. Les retourner très vite car la viande doit rester rosée. Les retirer et les poser sur un plat chaud. Jeter la graisse de cuisson, déglacer avec 1 cuillerée de vinaigre de vin vieux. Ajouter 3 baies de genièvre et le fond de gibier. Rectifier l'assaisonnement. Verser sur la viande au travers d'un chinois.

Alterner avec les mignonnettes les ananas poêlés recouverts d'airelles chauffées. Disposer les ravioli au centre.

Pour obtenir un goût aigre-doux, Joël Robuchon mélange chevreuil et ananas.

SALADE DE HOMARD EN BOLÉRO

INGRÉDIENTS POUR 4 PERSONNES :

  4 homards de 500 g
  2 grosses tomates
  1 gros avocat
10 cl d'huile d'arachide
  1 cuillerée de crème fraîche
  2 brins de cerfeuil
     sel et poivre du moulin
  3 l de court-bouillon
  1 pomme fruit
  1 citron
  8 cl de vinaigre de vin
1/2 botte de ciboulette
     huile

MISE EN PLACE :

Amener le court-bouillon à ébullition et y plonger les homards pendant 6 minutes.

Retirer du feu et laisser refroidir dans le court-bouillon.

Donner quelques coups sur les pinces pour les casser, puis les décortiquer. Décortiquer les queues exactement comme les queues de langoustines. Faire de même avec la chair des pattes et garder le tout en attente au frais.

Préparer la vinaigrette avec 10 cl d'huile d'arachide, 8 cl de vinaigre de vin, 1 cuillerée de crème fraîche, sel et poivre.

Ciseler finement la valeur de 4 cuillerées à thé rases de ciboulette et préparer une vingtaine de pluches de cerfeuil. Garder en attente.

Ébouillanter les tomates, après les avoir entaillées d'un côté et les avoir creusées à l'endroit du pédoncule, les peler et les vider de leurs graines. Si l'on peut se procurer une cuillère à pomme parisienne de 5 mm de diamètre, faire des petites boules avec la chair. Sinon, la détailler simplement en cubes de 4 à 5 mm.

Presser le jus du citron.

Préparer des mini-boules de 5 mm de diamètre (ou des petits dés de 4-5 mm) avec la chair de l'avocat et de la pomme et les plonger dans le jus de citron pour les empêcher de noircir. Égoutter.

Il faut, par personne, une cuillerée à soupe de chaque légume. Les mélanger et les mettre en attente avec une petite cuillerée d'huile.

FINITIONS :

Couper les queues de homards en médaillons de 5 mm d'épaisseur et retirer, dans chaque médaillon, le boyau noir qui contient souvent du sable.

PRÉSENTATION :

Napper le fond de chaque assiette avec 3 cuillerées à soupe de vinaigrette.

Plonger pinces, médaillons et chair de pattes dans le restant de la vinaigrette. Les sortir en les égouttant un peu et les disposer sur chaque assiette : les deux pinces de homard en croix dans le haut, les médaillons se chevauchant légèrement en demi-couronne dans la moitié inférieure de l'assiette. Remplir le milieu avec la chair des pattes.

Parsemer le tout de boules de légumes et garnir chaque assiette avec une cuillerée à thé rase de ciboulette ciselée et quelques pluches de cerfeuil.

Tomates, pommes et avocats font partie de la salade de homard en boléro de Joël Robuchon.

OURSINS AUX CROSNES

INGRÉDIENTS :

2 ou 3 oursins par personne
10 crosnes par personne
   citron
   sel et poivre
   beurre

Couper les pointes des crosnes et les laver à l'eau froide. S'ils ne sont pas exceptionnellement frais, il convient de les peler grossièrement. Pour cela, les mettre dans un torchon avec du gros sel, faire un baluchon et frictionner les crosnes de façon que le sel les gratte.

Les passer ensuite rapidement sous l'eau, les égoutter et les mettre dans une casserole, poêle ou sauteuse avec de l'eau froide jusqu'à les recouvrir, une noix de beurre et le sel.

Cuire ainsi à découvert jusqu'à évaporation complète de l'eau.

Pendant ce temps-là, ouvrir les oursins avec de gros ciseaux de ménage. Retirer les pieds des coquilles et les mettre dans une casserole. Récupérer l'eau de mer contenue dans les oursins, la passer au chinois et la rajouter dans la casserole.

Faire tiédir les oursins sur une plaque à peine chauffée (40° maximum ; on doit pouvoir poser la main dessus).

Retirer du feu, mettre les oursins de côté et porter le jus à ébullition, puis incorporer une bonne noix de beurre, du poivre et du jus de citron et bien mélanger au fouet.

Dresser dans l'assiette les pieds d'oursins et les crosnes et napper le tout avec la sauce.

N.B. : On peut rajouter à cette recette quelques épinards en branches. Les crosnes peuvent être éventuellement remplacés par des fonds d'artichauts émincés.

Les oursins aux crosnes de Guy Savoy.

SOUPE A L'ÉMINCÉ DE POISSON

INGRÉDIENTS POUR 4 PERSONNES:

2 litres de fumet (à préparer avant)
1 carotte, 1 poireau (petit), 1 oignon, 1 tomate
1 gousse d'ail, sel, poivre
1/2 dl d'huile d'olive
1 bouquet garni
1 pincée de filament de safran
200 g de poissons en tout, soit 1 tranche de lotte ou filet de rouget
1 filet de carrelet ou de saint-pierre
1 filet de merlan ou de sole
1/2 dl de crème
1 pincée de fleurs de thym

LE FUMET DE POISSON:

(en tout 500 g environ)
1 tranche de congre
1 arête de sole
1 oignon, queues de persil

Bien faire dégorger les arêtes à l'eau courante pour éliminer les déchets et le sang. Mettre dans une marmite avec l'oignon et 5-6 queues de persil. Mouiller avec 2 litres d'eau et faire cuire un quart d'heure en écumant.

PRÉPARATION:

Détailler la carotte en brunoise, hacher l'oignon et le poireau, émonder, épépiner et concasser la tomate, hacher l'ail.

Faire suer à l'huile d'olive carotte, oignon et poireau, ajouter ensuite la tomate concassée. Mouiller avec 2 litres de fumet, ajouter l'ail haché, le bouquet garni, sel et poivre. Porter à ébullition; écumer soigneusement puis incorporer le safran. Laisser cuire doucement 35 à 40 minutes.

Émincer les poissons de la manière suivante:
– la tranche de lotte en médaillons très minces de 2 à 3 mm d'épaisseur,
– le filet de merlan (ou sole) doit être escalopé en biseau,
– le filet de carrelet coupé en morceaux.

N.B.: C'est le format des poissons qui permet de les avoir ensuite tous cuits exactement comme ils doivent l'être et en même temps.

Emballer dans du papier alu et mettre en attente au frais jusqu'au repas.

Page ci-contre: Soupe à l'émincé de poissons de Guy Savoy.

A droite: La croustade de poule faisane d'Alain Dutournier.

FINITION:

Faire chauffer le four 15 minutes à l'avance.
Faire chauffer à l'avance 4 assiettes creuses ou bols à potage.
Réchauffer la soupe et lui ajouter 1/2 dl de crème et une pincée de fleurs de thym. Rectifier l'assaisonnement.
Verser une petite louche de soupe par assiette très chaude, disposer dans chacune le quart des poissons et passer à four chaud 2 minutes exactement.
Sortir du four et achever de remplir les assiettes avec le reste de soupe.

CROUSTADE DE POULE FAISANE AUX CHAMPIGNONS SAUVAGES

INGRÉDIENTS POUR 6 PERSONNES:

2 poules faisanes
400 g de farine
1 œuf
50 g de cèpes séchés
1 cuillerée de baies de genièvre
400 g de cèpes
400 g de girolles
400 g de pieds-de-mouton
8 cl de porto
25 cl de vin blanc
2 carottes, persil, 6 échalotes

Mettre 400 g de farine en fontaine, placer au centre 1 œuf, 1 pincée de sel, 1 filet d'huile. Pétrir avec 200 g d'eau tiède (ou 20 cl) ajoutée petit à petit jusqu'à ce que la pâte se détache facilement.

Débarrasser dans un bol légèrement huilé et laisser reposer 12 heures environ. L'excédent de pâte peut être conservé au réfrigérateur en vue d'une autre utilisation.

Désosser 2 pièces de faisane, préparer un assaisonnement fait de 1 cuillerée à bouche de moutarde, 1 cuillerée à café de genièvre moulu, 1/4 de noix de muscade râpée, 1 clou de girofle pulvérisé, 3 cl de porto, 5 cl de vin blanc. Saler et poivrer les faisanes. Les badigeonner de cette préparation et laisser mariner une nuit.

Préparer un jus avec les os de faisanes concassés, dorés au beurre, additionné d'une garniture aromatique (carottes, échalotes). Déglacer avec 20 cl de vin blanc, 5 cl de porto. Réduire ce jus, le filtrer, le dégraisser. Ajouter les 50 g de cèpes secs (trempés préalablement) ainsi que la crème (laisser dépouiller) puis mixer et tenir au bain-marie. Remixer au moment de servir.

Trier et nettoyer 400 g de cèpes, 400 g de girolles, 400 g de pieds-de-mouton. Faire sauter le tout au beurre après avoir salé, poivré, persillé et ajouté une échalote ciselée. Laisser refroidir.

Pipérade d'oignons, de tomates et de poivrons garnissant le filet de saumon d'Alain Dutournier.

Étirer la pâte reposée sur un linge fariné de façon qu'elle soit de l'épaisseur d'une feuille de papier à cigarette. Tailler dans cette pâte des lanières de 20 cm de largeur et environ 40 cm de longueur.

Dans un plat à tarte, faire se croiser 5 lanières de pâte badigeonnées de beurre fondu, mettre au centre les morceaux de poule faisane égouttés de leur marinade et les champignons. Replier sur cette préparation successivement chaque bord de pâte en faisant en sorte de lui donner une forme de pétale.

Cuire au four 40 minutes à 180°, thermostat 7. Servir la sauce à part.

Alain Dutournier

SAUMON AU LARD ET A LA PIPERADE

INGRÉDIENTS POUR 6 PERSONNES :
- 1,5 kg de saumon frais
- 200 g de poitrine demi-sel en 12 fines tranches (ébouillantées 10 minutes et égouttées)
- 3 tomates épluchées et épépinées
- 12 petits oignons blancs émincés
- 12 petits piments doux coupés en morceaux (à défaut 2 poivrons verts)
- 24 feuilles de basilic
- 3 gousses d'ail écrasées
- 100 g de jambon de Bayonne en lanières
- 200 g de crépine de porc

Faire préparer le saumon en deux filets. Partager chaque filet en trois tronçons. Ouvrir chaque tronçon en deux, «en portefeuille», sans séparer les morceaux.

Glisser dedans 2 feuilles de basilic, une tranche de poitrine, sel, poivre. Refermer. Disposer dessus une deuxième tranche de poitrine, et 2 feuilles de basilic. Poivrer. Couper la crépine en six rectangles un peu plus grands que les paquets de saumon. Poser chaque paquet au centre d'un rectangle et envelopper.

Préparer la pipérade. Faire dorer légèrement l'oignon et le jambon de Bayonne (gras et maigre). Ajouter l'ail et les piments. 4 à 5 minutes plus tard mettre les tomates. Couvrir, laisser cuire 10 minutes sur feu doux.

Dans un plat, disposer côte à côte les paquets de saumon, côté peau en dessous. Enfourner (thermostat 9) 8 à 10 minutes sur un papier absorbant.

Disposer les paquets sur un plat très chaud, entourés de la pipérade.

Dominique Nahmias

TURBOT AUX CITRONS CONFITS ET AU FENOUIL

INGRÉDIENTS :

1/4 de citron jaune
230 g de turbot
2-3 branches de céleri
1 bulbe de fenouil
 quelques dés de tomates
 persil plat
 cumin, coriandre, mignonnette

Citrons confits :

Macérer pendant 1 mois les citrons dans du gros sel + jus de citrons + un petit peu d'eau. Couvrir. Laisser macérer.

Huile aux piments :

1 litre d'huile d'olive + piment doux en poudre (3 à 4 cuillerées à soupe) + poivre de Cayenne (2 pincées).

Mettre le turbot dans une sauteuse avec le fenouil blanchi, le persil plat blanchi, dés de tomates, olives et quelques branches de céleri en julienne. Émincer le fenouil. Cuire au four à 200 °C avec vin blanc, fumet de poisson et huile d'olive aux piments doux et citrons confits, 15 à 20 minutes selon la pièce. Sortir du four.

Dresser sur une assiette.

Quelques épices : cumin, mignonnette, coriandre (grains et fleurs de coriandre).

On peut acheter les citrons en conserve utilisés pour la préparation de ce plat dans les épiceries spécialisées en produits moyen-orientaux.

LE DOS D'AGNEAU RÔTI A L'OS, AUX ÉCHALOTES MARINÉES A L'HUILE D'OLIVE VIERGE ET VIEUX VINAIGRE DE VIN, FLAN DE COURGETTES

INGRÉDIENTS POUR 6 PERSONNES :

500 g d'agneau
    échalotes (6 gousses)
  2 dl d'huile d'olive
  5 cl de vieux vinaigre de vin

FLAN DE COURGETTES :

250 g de courgettes
2,5 litres d'huile d'olive
2,5 cl de mie de pain
 13 g de gruyère
  1 œuf
  3 dl de jus d'agneau

Parer les carrés d'agneau. Pour cela, ôter avec un couteau la panoufle qui recouvre le carré, puis enlever à l'aide d'un couteau-batte ou d'une feuille la petite chaînette d'os qui forme la colonne vertébrale. Raccourcir les côtes et couper trois «morceaux» de trois côtes chacun (pour des carrés de 9 côtes).

Éplucher les échalotes (sauf 12 pièces que l'on fera cuire à la vapeur avant de les rôtir au four) puis les hacher finement, les faire blondir à l'huile d'olive sans omettre de les assaisonner de sel et de poivre du moulin.

POUR LES GÂTEAUX DE COURGETTES :

Faire cuire les courgettes à l'eau salée et à découvert. Les refroidir et bien les égoutter. Les passer au robot-coupe avec l'huile d'olive, la mie de pain trempée au lait, le gruyère et l'œuf. Remplir des petits moules à dariole graissés avec cet appareil et cuire au bain-marie à four doux (180 à 200°) pendant 15 minutes.

Poêler chaque portion de dos d'agneau puis terminer la cuisson au four. Couper de façon à obtenir trois «côtes».

Rectifier l'échalote hachée à l'huile d'olive avec un peu de vinaigre de vin vieux et le jus d'agneau réduit.

Dresser l'agneau sur assiette avec deux «gâteaux» démoulés par personne ainsi que 2 échalotes entières rôties.

Parsemer sur les assiettes les échalotes hachées et l'huile d'olive.

Servir très vite et très chaud.

Un flan de courgettes garnit le dos d'agneau rôti de Michel Rostang.

RAVIOLI DE HOMARD

INGRÉDIENTS POUR 4 PERSONNES :

Pâte à ravioli (en vente dans les épiceries de produits chinois)

1 homard de 400 g
1 carotte, 1 oignon émincé
Cayenne, poivre du moulin
25 cl de crème
25 g de beurre
cerfeuil, 2 tomates
1 cuillerée de concentré de tomates
25 cl de vin blanc
sel

INGRÉDIENTS POUR LA PÂTE :

300 g de farine
4 jaunes d'œufs
2 œufs entiers
1 pincée de sel

Bien mélanger la farine aux œufs et au sel. En faire un pâton et laisser reposer au frais pendant une demi-heure.

A l'aide d'une petite machine à main, étaler la pâte en bandes très fines et la découper en carrés d'environ 15 cm.

Rôtir à four vif le homard pendant 5 minutes. Décortiquer les pinces et la queue (en ayant soin de conserver la forme des pinces). Récupérer le corail (qui se trouve dans la carapace) et le passer à travers l'étamine d'une passoire. Le réserver.

Débarrasser les tomates de leur peau et pépins : pour cela les plonger quelques secondes dans de l'eau bouillante, la peau alors s'enlève d'elle-même ; les couper en quatre, retirer les pépins et les détailler en dés de un centimètre.

Escaloper la queue du homard en fines lamelles.

Disposer des carrés de pâte à ravioli sur une table ; placer sur ceux-ci les lamelles de homard, trois à quatre dés de tomates, un quart de cuillerée à café de crème fraîche, sel, poivre du moulin, et une cuillerée de peluches de cerfeuil.

Badigeonner, à l'aide d'un pinceau trempé dans un jaune d'œuf, les rebords du ravioli. Reposer une autre pâte dessus. Presser avec les doigts sur les contours pour bien les rendre hermétiques. Découper les bords avec une roulette à ravioli.

Pour la sauce :

Faire revenir dans de l'huile légumes et carcasses. Ajouter le poivre de Cayenne, verser 5 cl de vin blanc, une cuillerée de concentré de tomates. Porter à ébullition. A l'aide d'un rouleau à pâtisserie, concasser la carapace du homard, cuire à feu moyen. Passer ce fumet à la passoire étamine. Faire réduire avec 15 cl de crème et 25 g de beurre. Rectifier l'assaisonnement.

Retirer du feu et ajouter le corail en fouettant de manière à ce que le corail lie cette sauce sans coaguler. Tenir au chaud dans un bain-marie.

Pocher 3 minutes les ravioli dans de l'eau frémissante salée, les égoutter et les placer dans une poêle contenant 20 cl de crème, pour en terminer la cuisson.

Dresser sur une assiette, avec les pinces réchauffées dans l'eau de pochage.

Napper avec la sauce.

Décorer de cerfeuil.

Combinaison rare : Dominique Nahmias sert des ravioli de homard avec une bisque de homard.

ROSACE DE TOMATE FARCIE AUX CHAMPIGNONS, AUX NAVETS FONDANTS ET A L'ESCARGOT
(beurre vert pré)

INGRÉDIENTS POUR 4 PERSONNES:

- 4 tomates rouges (assez fermes et mûres, de forme régulière)
- 1 douzaine d'escargots au naturel
- 100 g de champignons de Paris
- 1 cuillerée à café de moutarde
- 20 g d'échalote hachée
- 5 g d'ail haché très fin
  sel et poivre du moulin
- 15 cl de crème fraîche
- 1 cuillerée à potage de ciboulette ciselée
- 1 jus de citron
- 30 g de beurre
- 1 cuillerée à potage de tomate concassée (facultatif)

POUR LA SAUCE AUX HERBES:

- 1 botte de persil simple
- 1/2 botte de cresson
- 3/4 d'une botte de ciboulette
- 1/2 botte de cerfeuil
- 100 g de beurre
- 1/2 cuillerée de vinaige de vin rouge
  sel et poivre du moulin
- 200 g net de petits navets tournés pour la garniture

PRÉPARATION DE L'APPAREIL A ESCARGOTS:

Faire revenir avec une noix de beurre les échalotes et l'ail hachés. Couper les escargots de manière à obtenir un hachis un peu grossier. Mettre ceux-ci à revenir en les laissant suer légèrement avec les aromates hachés. Incorporer la tomate concassée.

Préparer les champignons en les grattant, les laver et les mettre à cuire dans une cuisson comprenant un peu d'eau, un jus de citron, sel, poivre et une noix de beurre.

Laisser cuire 10 minutes à couvert. Égoutter, hacher à la main ou au robot-coupe de façon à obtenir une coupe fine qui ne soit pas une purée.

Mélanger les champignons avec les escargots. Assaisonner le tout et relever avec un peu de moutarde. Mélanger, laisser dessécher un peu sur le feu, puis verser la crème et laisser cuire à frémissement durant 5 minutes. Ajouter la ciboulette ciselée en fin de cuisson. Ajuster la consistance de l'appareil.

PRÉPARATION DE LA TOMATE EN QUARTIERS:

Prendre les tomates bien calibrées et les monder (éplucher en les trempant dans de l'eau bouillante 10 secondes). Rafraîchir aussitôt dans de l'eau bien froide.

Une fois séparées de leur peau, couper les tomates en quatre quartiers réguliers. Avec un couteau d'office débarrasser chaque quartier de tout son intérieur (la partie avec les pépins) afin d'obtenir un pétale.

Réserver et saler légèrement pour favoriser l'élimination d'une partie de l'eau de végétation.

FINITION DE LA SAUCE:

Bien laver toutes les herbes, les concasser, puis les mettre dans une casserole contenant de l'eau froide. Porter cette préparation à ébullition durant 3 minutes. Retirer du feu et laisser refroidir tel quel.

Par la suite, égoutter le concassé d'herbes et passer au robot-coupe avec un peu d'eau de cuisson. Laisser tourner suffisamment pour obtenir une composition lisse et homogène.

Débarrasser dans une casserole et ajouter à cette purée d'herbes obtenue 70 g de beurre. Prélever 4 cuillerées à soupe que l'on peut monter légèrement au fouet.

Assaisonner. Verser un trait de vinaigre pour donner un peu de nervosité à la sauce et la rendre plus fluide. Donner un coup de mixer pour bien terminer de l'émulsionner.

GARNITURE:

Couper les navets en quatre ou six selon grosseur à l'aide d'un couteau d'office. Enlever la peau en suivant bien le pourtour, puis les tailler en forme de grosses olives.

Les faire cuire dans l'eau bouillante salée environ 3 minutes. Rafraîchir.

FINITION DU DRESSAGE:

Garnir le fond d'assiettes creuses chaudes avec la sauce aux herbes. Avec une cuillère moyenne, disposer en forme de petites quenelles, comme des rayons de roue, la composition à l'escargot. Chauffer au four les pétales de tomate en prenant soin de les assaisonner recto verso auparavant (réchauffer un instant sans cuisson véritable).

Réchauffer les navets tournés dans une petite poêle avec une noix de beurre. Saler légèrement.

Disposer les quartiers de tomate sur les quenelles d'escargot en orientant les pointes vers l'extérieur de l'assiette. Intercaler dans chaque espace un navet tourné.

Faire briller les tomates d'un coup de pinceau trempé dans un doigt d'huile d'olive.

Servir aussitôt.

Georges Blanc a composé, avec des quartiers de tomate farcis d'escargots et de champignons, disposés sur du beurre aux herbes, un plat très coloré.

LA SUITE DES TROIS DESSERTS AU CHOCOLAT ET A LA MENTHE FRAÎCHE

INGRÉDIENTS POUR 4 PERSONNES :

Glace chocolat
1/2 litre de lait
  30 g de chocolat
     (couverture noir amer)
  60 g de cacao poudre
  65 g de sucre
  60 g de miel

Gâteau chocolat
250 g de chocolat
     (couverture noir amer)
   2 œufs
125 g de pâte à glacer
  15 g d'huile d'arachide
  20 g de sucre
   5 jaunes d'œufs
275 g de crème fleurette
1/2 litre de crème anglaise
   1 bouquet de menthe fraîche

Soufflé
   4 blancs d'œufs
   2 jaunes d'œufs
  80 g de sucre
  10 g de cacao poudre

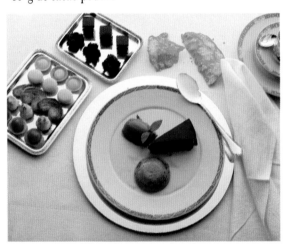

Trois desserts au chocolat
de Michel et Jean-Michel Lorain.

MISE EN PLACE :

Le gâteau au chocolat

Faire fondre au bain-marie 125 g de pâte à glacer, 70 g de couverture avec 15 g d'huile d'arachide. Étaler cette préparation sur une feuille de papier sulfurisé, le plus finement possible. Faire prendre au réfrigérateur. Découper trois cercles de 18 cm de diamètre dans la feuille de chocolat ainsi obtenue et les réserver dans une pièce fraîche. Parallèlement, préparer une mousse pour garnir le gâteau. Pour cela, faire fondre au bain-marie 180 g de couverture avec 25 g de crème fleurette bouillie et 2 jaunes d'œufs. Laisser cet appareil refroidir à une température de 25°.

Monter 2 blancs d'œufs avec 20 g de sucre. Monter 25 cl de crème fleurette. Incorporer les blancs dans l'appareil chocolat puis la crème fouettée pour obtenir une mousse onctueuse.

Monter le gâteau en intercalant les trois feuilles de chocolat avec deux couches de mousse de 2,5 cm environ. Réserver au frais.

La glace

Faire fondre le chocolat avec le lait bouillant et le miel. Mélanger les jaunes avec le sucre et le cacao. Mélanger les deux appareils, et tourner à la sorbetière. Réserver au congélateur.

Il ne reste plus ensuite qu'à confectionner une crème anglaise légèrement parfumée à la menthe fraîche, et à beurrer quatre moules pomponnettes de 5,5 cm de diamètre que l'on réservera au frais.

Les soufflés

Monter 4 blancs d'œufs en neige avec 50 g de sucre, ajouter 5 g de cacao poudre. Mélanger à part 2 jaunes d'œufs avec 30 g de sucre et 5 g de cacao poudre.

Mélanger blancs et jaunes pour obtenir un appareil homogène que l'on répartira dans les moules pomponnettes beurrés. Cuire dans un four à 240° sur la sole pendant 3 minutes.

FINITION ET DRESSAGE :

Pendant la cuisson des soufflés, napper le fond de quatre assiettes avec la crème anglaise et disposer dessus un huitième de gâteau au chocolat et une belle boule de glace faite avec une cuillère à entremets trempée dans l'eau tiède...

Après 3 minutes de cuisson, démouler les soufflés sur les assiettes et servir immédiatement.

CONSEIL :

Il est bon d'inviter les convives à commencer la dégustation par les soufflés pour éviter qu'ils ne retombent.

Ce plat est la réunion de trois desserts au chocolat différents, dans une même assiette. Différents par la texture et par la température puisque le premier est chaud (soufflé), le deuxième froid (gâteau), et le troisième glacé (glace).

LE RAGOÛT DE LÉGUMES AU CERFEUIL

INGRÉDIENTS :

100 g de carottes
100 g de petits oignons
100 g de courgettes
100 g de choux
1/2 poivron rouge
100 g de navets
    cerfeuil
    sel, poivre, citron
    beurre

PRÉPARATION :

Tourner les légumes, les cuire individuellement dans une casserole avec de l'eau à hauteur et une noix de beurre (les légumes doivent rester croquants).

Effeuiller le cerfeuil. Réserver.

Faire blondir du beurre dans une casserole et incorporer tous les légumes sauf le chou et le poivron.

Laisser blondir puis déglacer à l'eau, au citron.

Au dernier moment, incorporer la julienne de choux (le chou cuit croquant dans l'eau) et les dés de poivrons (le poivron cuit à l'huile d'olive).

DRESSAGE :

Mettre l'ensemble dans une assiette creuse avec le cerfeuil.

115

Au verso : Bernard Loiseau transforme les plus simples ingrédients du jardin en un ragoût de légumes sophistiqué.

J. Drouhin
Beaune
FRANÇAISE NON RECONSTITUÉE
Française non Reconstituée · Appellation Contrôlée
Chambon
M. Duvault-Blochet
Seuls propriétaires

LE FEUILLETÉ À L'ORANGE

INGRÉDIENTS :

Commander 6 petits feuilletés chez le pâtissier
1/2 litre de coulis de framboises
300 g de sucre
300 g d'eau
12 oranges
2 cuillerées à soupe de grenadine
beurre
quelques feuilles de menthe

LA GLACE :

75 cl de lait
12 jaunes d'œufs
150 g de sucre
1 gousse de vanille
1 cuillerée à café de Grand Marnier*

PRÉPARATION :

Les zestes

Retirer les zestes de la moitié des oranges, les couper en julienne. Mettre sucre et eau dans une casserole. Porter à ébullition. Lorsque le sucre est fondu, y jeter les zestes. Ajouter la grenadine. Laisser cuire jusqu'à ce que les zestes soient confits.

La glace

Faire bouillir le lait avec la gousse de vanille fendue dans la longueur et la moitié du sucre. Dans une autre casserole, mélanger les jaunes d'œufs au sucre restant. Incorporer le lait en fouettant sur les jaunes. Remettre à feu doux et laisser épaissir sans cesser de tourner jusqu'à obtention d'une crème anglaise. Ajouter le Grand Marnier puis les zestes d'oranges confits hachés. Verser dans la sorbetière et laisser prendre.

Les oranges

Peler les oranges à vif et les détailler en tranches. Les poêler rapidement dans un peu de beurre et de sucre.

DRESSAGE :

Disposer une boule de glace dans chaque feuilleté. Entourer des tranches d'oranges. Napper avec le coulis de framboises et décorer de feuilles de menthe.

Feuilleté à l'orange de Bernard Loiseau.

PAPILLON DE LANGOUSTINES
A LA CHIFFONNADE DE MESCLUN

INGRÉDIENTS POUR 4 PERSONNES :

 20 langoustines pour un poids de 1,8 kg
100 g de courgettes
200 g de haricots verts
  8 pièces de tomates cerises
100 g de mesclun
    sel, poivre

VINAIGRETTE :

  2 oranges moyennes
  1 citron
200 g de tomates
  1 branche de basilic
    sel, poivre
 10 cl d'huile d'olive
1/2 cuillerée à café de coriandre bien écrasé

DÉROULEMENT :

Cuire les langoustines à la vapeur 8 à 10 minutes. Les décortiquer entièrement, sauf quatre dont vous gardez la queue attachée au coffre. Les réserver sur un plat allant au four.

Effiler les haricots verts puis les cuire dans de l'eau très salée (1,5 litre d'eau pour 30 g de gros sel) pendant 4 à 8 minutes selon la grosseur. Ensuite les plonger dans de l'eau très froide (avec un peu de glaçons), les égoutter.

Couper quatre lamelles par personne de courgettes très fines de 1 à 2 mm pour une longueur de 6 cm et les cuire à la vapeur pendant 2 à 3 minutes (pour les avoir bien régulières, les couper à l'aide d'une mandoline).

CONFECTION DE LA VINAIGRETTE :

Peler à vif et extraire les quartiers sans peau des oranges et du citron. Mettre tout cela dans un bol de mixer avec la moitié des feuilles de la branche de basilic, l'huile d'olive et le coriandre écrasé. Sel, poivre. Ensuite, faire bien tourner pour avoir une belle liaison.

Verser cette sauce dans une petite casserole où l'on ajoute des dés de tomates sans pépins et sans peau, puis faire chauffer légèrement et peu de temps (pour éplucher les tomates, les plonger dans l'eau bouillante et les retirer aussitôt en les passant sous l'eau froide).

DISPOSITION ET PRÉSENTATION DE LA SALADE :

Choisir 8 feuilles les plus belles et régulières dans le mesclun. Assaisonner le reste de la salade et haricots verts, les lamelles de courgettes, les langoustines avec sel et poivre. Faire chauffer les langoustines au four.

Pendant cela, monter l'assiette en mettant quatre lamelles sur la moitié du bord et que la longueur aille vers le centre, et disposer comme un éventail.

Sur l'intérieur faire également deux éventails de haricots verts l'un en face de l'autre. Puis au centre confectionner un petit tas de mesclun et ajouter moitié sur le bord et touchant le tas de salade deux feuilles choisies en les rangeant en forme de triangle.

Sortir les langoustines du four et les disposer avec la tête au centre du triangle et la queue sur la salade.

Verser la sauce chaude sur les queues et très légèrement sur les courgettes.

Disposer et parsemer les feuilles de basilic coupées finement dans le sens de la largeur (servir sans attendre) et les deux tomates cerises près des haricots verts.

Au verso : Par sa présentation, la nouvelle cuisine évoque souvent la cuisine japonaise. Ce plat de Jacques Chibois est composé de langoustines cuites à la vapeur, recouvertes d'une vinaigrette d'agrumes chaude et aspergées d'une chiffonnade de mesclun.

TAMPURA DE LANGOUSTINES, POMMES DE TERRE SAUTÉES AU BEURRE CLARIFIÉ, BEURRE FONDU A LA CANNELLE ET CIBOULETTE

INGRÉDIENTS :

  8 langoustines
  1 feuille de chou vert blanchie à l'eau bouillante salée
    et poché doucement avec une noix de beurre frais
  2 pommes de terre de bonne qualité
  2 radis découpés en fines lamelles et macérés
    à l'huile de colza
    ciboulette, cannelle en bâton (4 g)
180 g de beurre frais, 140 g à faire clarifier
  1 cl de crème fraîche

ÉVOLUTION DU TRAVAIL :

Les pommes de terre

La veille, émincer finement, laver à grande eau. Égoutter et sécher au moment de la préparation.

Les rouler dans le beurre clarifié et les disposer dans un plat épais. Cuire à feu doux pour obtenir un légume croustillant.

Les langoustines

Mettre à macérer quelques minutes dans un peu de crème. Fariner, bien secouer pour enlever l'excédent. Frire rapidement à l'huile bouillante.

Déposer au centre les légumes (pommes de terre, chou) ; autour, les langoustines salées, découpées.

Mettre un filet de beurre à la cannelle, les radis sur les crustacés.

Le beurre

2 cuillerées d'eau, pincée de sel, la cannelle. Monter avec 40 à 50 g de beurre.

Au verso de la page précédente :
tempura de langoustines de Pierre Gagnaire.

CONSOMMÉ GLACÉ GERMINY
FILET DE PIGEON
AU JUS DE BETTERAVE

INGRÉDIENTS POUR 2 PERSONNES :

2 dl de consommé de bœuf crémé lié avec
   trois jaunes d'œufs et cuit comme une glace au lait

2 feuilles d'épinards ciselées, salées et parfumées
   au jus de soja

1 carotte coupée en bâtonnets

1 pigeon de 700 à 800 g

1 échalote hachée finement

30 g de betterave rouge

1 petit verre de crème

ÉVOLUTION DU TRAVAIL :

Préparer le consommé la veille. Lorsqu'il est froid, incorporer une grosse noix de crème fouettée. Ajouter quelques gouttes de porto.

Cuire à couvert les carottes taillées, avec un peu de consommé brut.

Faire sauter rapidement dans une petite cocotte les filets de pigeon. Retirer les filets. Ajouter une cuillerée à café de beurre et faire revenir l'échalote hachée (obtenir une espèce de jus).

Faire bouillir le verre de crème, sel, poivre, la betterave rouge écrasée. Passer rapidement à la passette. On obtiendra une belle sauce rose.

LE DRESSAGE :

Dans une grande assiette, disposer la salade d'épinard, les carottes avec une pointe de gros sel, sur l'épinard (avec une cuillère passée dans l'eau chaude) la noix de Germiny en gelée.

Chaque filet sera coupé en deux et nappé du jus d'échalote.

Un cordon de sauce betterave. Un bon tour de moulin à poivre.

123

Dans cette recette de Pierre Gagnaire, les filets de pigeon sont accompagnés d'un consommé Germiny et garnis d'une sauce au jus de betterave.

GOURMANDISE GLACÉE AUX GROSEILLES, AUX FRAISES DES BOIS ET A LA VANILLE

INGRÉDIENTS POUR 8 PERSONNES :

1/4 de litre de crème à la vanille
1 litre de sorbet aux groseilles
5 blancs d'œufs pour la meringue française
1/2 litre de coulis de groseilles
200 g de fraises des bois (ou à défaut de framboises)

MÉTHODE :

Crème à la vanille

1/4 de litre de lait
1 gousse de vanille (fendue dans sa longueur)
3 jaunes d'œufs
25 g de poudre à flan
90 g de sucre semoule

Faire bouillir le lait avec la gousse de vanille fendue dans une casserole. A part, faire blanchir les jaunes d'œufs et le sucre en fouettant vivement l'ensemble dans un bol, puis incorporer la poudre à flan tamisée.

Verser ensuite le lait bouillant sur ce mélange et remettre le tout sur le feu dans la casserole, sans cesse de remuer jusqu'à ébullition. Puis mettre à refroidir.

Sorbet aux groseilles

1 kg de groseilles
2 citrons

Pour le sirop :

300 g de sucre semoule
300 g d'eau minérale

Dans une casserole, mélanger le sucre et l'eau. Faire le sirop en portant à ébullition, puis laisser refroidir.

Choisir de belles groseilles rouges et mûres. Les passer au presse-purée avec une grille fine, en recueillir tout le jus.

Passer au chinois fin après avoir ajouté le sirop froid et le jus des citrons. Passer à la sorbetière et conserver à une température négative (− 18°).

Meringue française

5 blancs d'œufs (155 g environ)
20 g de sucre semoule
125 g de sucre semoule
125 g de sucre glace

Monter les blancs en neige ferme, ajouter les 20 g de sucre semoule avant qu'ils soient trop fermes pour éviter qu'ils grènent.

Mélanger 125 g de sucre semoule et 125 g de sucre glace tamisé. Incorporer le mélange dans les blancs montés. Dresser cette masse sur une plaque à pâtisserie beurrée et farinée légèrement.

Utiliser une poche à douille de 2 cm de diamètre pour obtenir des formes rondes et régulières parfaitement superposables.

Cuire pendant 1 h 30 en surveillant la couleur ; les meringues doivent être plutôt blondes. Température du four : 150° (thermostat 4).

Coulis de groseille

250 g de jus de groseilles
150 g de sucre glace

Passer ce jus au chinois et ajouter le sucre. Réserver au frais.

MONTAGE ET FINITION :

Prévoir deux fonds meringués par convive. Garnir à la cuillère ou à la spatule le dessus de la moitié d'entre eux avec une bonne couche de crème à la vanille refroidie.

Disposer les fruits rouges bien serrés pour masquer complètement le dessus. Réserver le temps de garnir les autres fonds d'une cuillère de sorbet aux groseilles. Les déposer aussitôt sur chaque assiette individuelle. Poser rapidement la partie supérieure couverte de fruits rouges en l'ajustant bien et avec précaution.

Faire couler au moyen d'un pot le jus de groseilles en cordon autour de la gourmandise.

Placer quelques petites feuilles de menthe en décor ou quelques petites grappes de groseilles. Servir aussitôt.

Georges Blanc fait une purée de fruits rouges pour la sauce de sa gourmandise glacée.

LA DORADE ROYALE AU BASILIC ET AUX PETITES AUBERGINES

INGRÉDIENTS POUR 4 PERSONNES :

  1 dorade royale de 1,8 à 2 kg
    levée par le poissonnier, enfilée et sans écailles
  1 citron
  1 branche de basilic
 40 g d'échalotes hachées
 10 cl de vin blanc
 12 cl de bouillon de volaille fait avec une tablette
    pour 1/2 litre d'eau
  1 cuillerée à soupe d'huile d'olive
100 g de beurre
  1 cuillerée à café d'huile de noix
  1 cuillerée à café de sauce soja

GARNITURE :

  5 petites aubergines de 50 g
 30 g de poivron rouge
 40 g d'oignon haché
1/4 d'une petite gousse d'ail hachée
  2 cuillerées à café d'huile de noix
  1 cuillerée à soupe d'huile d'olive
180 g de pommes de terre noires

126

PRÉPARATION DES AUBERGINES :

Faire cuire à l'eau bouillante salée les quatre aubergines coupées en deux et creusées légèrement, pendant 5 minutes, puis les retirer sur un plat allant au four.

Éplucher l'autre aubergine, la couper en quatre et la cuire avec la chair des autres aubergines creusées dans la cuisson pendant 2 minutes.

Dans une casserole, faire revenir à l'huile d'olive les oignons hachés à peine colorés, puis la chair des aubergines, l'ail haché, l'huile de noix, les poivrons coupés en petits dés de 3 mm, puis à l'eau salée pendant 8 minutes. Remuer souvent à la spatule.

Farcir les quatre moitiés d'aubergines. Cuire les pommes de terre (elles doivent être cuites à l'eau mais rester fermes), les éplucher, les couper en rondelles de manière à en obtenir quatre par personne.

LA SAUCE :

Mettre les échalotes hachées dans une casserole avec le vin blanc, réduire aux trois quarts, ajouter 12 cl de bouillon de volaille et une cuillerée à café de sauce soja, le zeste râpé d'un citron, et réduire de moitié.

Incorporer le beurre à l'aide d'un fouet sur un feu moyen puis ajouter une cuillerée à café d'huile de noix ainsi que quelques gouttes de jus de citron. Finir avec les feuilles de basilic coupées très finement dans le sens de la largeur, saler et poivrer.

PRÉSENTATION DE L'ASSIETTE :

Repasser tous les ingrédients au four, disposer la moitié de l'aubergine farcie sur le bord de l'assiette et l'autre moitié non farcie à cheval sur le côté. Mettre au centre le morceau de dorade royale et napper de sauce. Disposer sur les deux côtés du poisson dans l'assiette deux rondelles se chevauchant.

Un plat raffiné : La dorade royale au basilic et aux petites aubergines préparée par Jacques Chibois.

LE CROUSTILLANT DE FRAISES DES BOIS AU COULIS DE RHUBARBE

INGRÉDIENTS POUR 6 PERSONNES :

Pâte du croustillant

30 g de beurre pommade
30 g de sucre glace
30 g de miel
30 g de farine
 1 blanc d'œuf
 1 pointe de couteau de gingembre poudre

Pour le coulis de rhubarbe

200 g de rhubarbe fraîche
 30 g de sucre poudre
 50 g d'eau

Garniture

250 g de crème fleurette
 25 g de sucre glace
250 g de fraises des bois
  2 citrons verts
 12 cl d'eau
160 g de sucre poudre

128

CONFECTION DES CROUSTILLANTS :

Mélanger dans l'ordre avec le beurre pommade dans un bol tous les ingrédients de manière à obtenir un appareil homogène.

A l'aide d'une cuillère à café, prendre la valeur des trois quarts de cette pâte, la poser en petits tas bien espacés sur une plaque ou plateau à tarte Tefal. A l'aide de deux doigts, élargir ces tas avec un mouvement de rotation pour avoir un cercle de 7 cm de diamètre bien régulier.

Cuire dans un four de chaleur moyenne (170/180°, thermostat 7). Faire apparaître une couleur blonde puis les retirer aussitôt de la plaque quand ils sortent du four. Les disposer dans un endroit non humide ou les enfermer dans une boîte en fer.

Opérer plusieurs fois sur la plaque mais en la laissant bien refroidir après chaque opération pour obtenir 4 croustillants par personne.

LE COULIS DE RHUBARBE :

La rhubarbe doit être bien épluchée avec un couteau économe comme pour une carotte. La couper grossièrement et mettre dans une casserole avec le sucre et l'eau. Cuire 5 à 10 minutes et passer au mixer, puis refroidir.

LES CONFITS DE ZESTES DE CITRON VERT :

Éplucher des lames d'écorce de citron vert avec un couteau économe, puis les couper dans le sens de la longueur très finement avec un couteau d'office bien coupant. Les faire rejeter leur essence trois fois dans de l'eau en ébullition changée à chaque fois. Ensuite, mélanger le sucre poudre (165 g) avec les 12 cl d'eau, les zestes de citron vert blanchis dans une casserole et faire cuire doucement pendant 30 minutes environ.

LA CRÈME :

Fouetter la crème fleurette avec le sucre glace dans un bassin à fond rond jusqu'à en faire une chantilly épaisse.

CONFECTION ET PRÉSENTATION :

Mettre une moitié de cuillerée à soupe bien répartie de crème Chantilly sur un croustillant, ainsi qu'une cuillerée à soupe de fraises des bois. Répéter trois fois cette opération en superposant les trois, puis finir par un croustillant dessus.

Napper de 2 cuillerées à soupe de coulis de rhubarbe le fond d'une assiette et poser le gâteau ainsi fait au centre. Parsemer de quelques zestes de citron vert confit et égoutter.

Jacques Chibois ajoute au croustillant traditionnel des fraises des bois et un coulis de rhubarbe.

Michel Trama

PETIT SALÉ DE CANARD AUX LENTILLES

INGRÉDIENTS POUR 6 PERSONNES :

  6 cuisses de canard
 50 g de lard frais taillé en gros bâtonnets
180 g de lentilles vertes
  1 cube de bouillon de volaille
  6 grandes feuilles de chou
  1 cuillerée à soupe de graisse de canard
  3 échalotes hachées, 2 gousses d'ail hachées
  1 grosse carotte en dés
    la pulpe de 3 tomates taillées en gros dés
    bouquet garni

Pour la saumure
1,5 litre d'eau
150 g de sel nitrite

Mettre l'eau, le sel nitrite dans un récipient non métallique. Ajouter les cuisses. Laisser mariner au froid 36 heures.

Pour le bouillon
  1 carotte
  1 poireau
  1 bouquet garni
  1 oignon clouté de girofle
  1 anis étoilé

Les légumes pour garniture à volonté (carottes, navets, poireaux, pommes de terre).

130

Michel Trama sert les cuisses de canard avec des feuilles de chou farcies de légumes et de lentilles.

Faire un bouillon avec 1 litre d'eau, carotte, oignon, poireau, bouquet garni, anis étoilé. Le faire cuire 1 heure, le passer et y mettre les cuisses que vous aurez rincées de la saumure. Cuire environ 1 heure. 15 minutes avant la fin de la cuisson, ajouter les légumes de garniture que vous aurez tournés en grosses olives si vous le désirez.

Pendant la cuisson des cuisses de canard, préparation des lentilles. Les rincer, mettre la graisse de canard dans une sauteuse, faire suer sans colorer les échalotes hachées, les carottes en dés, les tomates en dés.

Quand tous les légumes sont compotés, ajouter les lentilles, 1 litre d'eau, bouquet garni, 1 cube de bouillon de volaille, les bâtonnets de lard.

Au premier bouillon, écumer, laisser cuire environ 30 minutes. Égoutter rapidement les lentilles, rectifier l'assaisonnement et les mettre dans chaque feuille de chou préalablement blanchie et rafraîchie. Les faire réchauffer à la vapeur.

Dresser dans l'assiette une feuille de chou aux lentilles, une cuisse de canard et quelques légumes.

Michel Trama

FEUILLANTINE AU CHOCOLAT

INGRÉDIENTS :

Pour la mousse au chocolat :
  2 jaunes d'œufs
  50 g de sucre semoule
  1 café (25 g de café, 25 g d'eau froide)
  50 g de cacao en poudre
  40 g de couverture (ou chocolat à croquer)
  75 g de beurre
100 g de crème fleurette

Pour la feuille de chocolat :
  75 g de couverture mi-amer

RECETTE :

Fouetter la crème fraîche. Faire fondre le cacao, la couverture, le beurre dans un cul-de-poule au bain-marie. Bien mélanger.

Monter au fouet les jaunes avec le sucre jusqu'à obtention d'une mousse épaisse et légère (si possible avec un mixer).

Mélanger le café et l'eau. Incorporer dans les jaunes, en continuant de fouetter. Ajouter ensuite le mélange de chocolat (beurre, cacao, couverture) ; le mélange doit être chaud.

Fouetter, ajouter la crème fouettée, mélanger énergiquement et rapidement. Débarrasser, laisser prendre au réfrigérateur.

Couper les 75 g de couverture en petits morceaux, les faire fondre au bain-marie, retirer et laisser tiédir légèrement.

Couper des bandes de ruban plastique pour pâtisserie et les disposer sur un plateau. A l'aide d'un pinceau, étaler une légère couche de chocolat sur chacune (la couche ne doit pas être trop épaisse, ni trop fine). Mettre au froid pour faire prendre.

Ensuite, décoller les bandes de plastique à l'aide d'un couteau, les retourner et pincer un coin de façon à les séparer du chocolat. Prendre de l'eau chaude, tremper le couteau et détailler des rectangles.

A l'aide d'une poche, disposer la mousse au chocolat sur chaque rectangle de chocolat et les empiler par quatre ou cinq. Couvrir d'un rectangle sans mousse.

Réserver au froid. Servir accompagné d'une crème anglaise.

131

Au verso : Feuillantine au chocolat de Michel Trama.

FLEURS DE COURGETTES AUX TRUFFES

Jacques Maximin

INGRÉDIENTS POUR 4 PERSONNES :

- 16 courgettes bien en fleur
- 2 œufs entiers
- 25 cl de crème fraîche liquide (fleurette)
- 1 dl de crème fraîche épaisse
- 1 botte de basilic, cerfeuil, estragon (botte de 30 g environ)
- 50 g de mie de pain
- 1 truffe de 40 g + 1 cuillerée à café de jus de truffes
- 1,5 dl d'huile d'olive
- 150 g de beurre

RÉALISATION :

Prendre de belles courgettes dont l'une des extrémités s'ouvre en fleur, bien ouvertes et très fraîches (sur le marché en plein été et toute l'année sur la Côte d'Azur).

Laisser la fleur attenante à 10 cm des courgettes. Les éplucher avec le couteau économe et les plonger dans l'eau bouillante salée 5 à 10 secondes, puis aussitôt dans l'eau glacée. Les fleurs de courgettes sont ainsi blanchies et flétries. Égoutter et mettre de côté.

Récupérer les épluchures des courgettes et les faire fondre dans l'huile d'olive. Débarrasser ensuite dans un bol à mixer. Ajouter 10 feuilles de basilic très frais, sel, poivre, les œufs entiers et la chapelure de mie de pain trempée au préalable dans la crème fleurette. Mixer jusqu'à l'obtention d'une purée très lisse. Débarrasser et laisser refroidir au réfrigérateur quelques minutes.

POUR FARCIR LES FLEURS :

C'est plus simple à deux. Prendre une plaque allant au four et la passer à l'huile d'olive, sel, poivre.

Se munir d'une poche à douille unie et la garnir de «farce».

L'un prend une courgette par la fleur en la tenant par l'extrémité de la corolle entre ses deux pouces et l'index ; il écarte légèrement et souffle dans l'orifice pour gonfler la fleur. A ce moment précis, l'autre tenant la poche introduit la douille par l'orifice obtenu et d'une pression de la main sur la poche remplit la corolle de farce jusqu'aux trois quarts. Celui qui tient la fleur effectue une rotation de l'extrémité de la corolle en réalisant ainsi, en quelque sorte, un nœud naturel.

Disposer toutes les courgettes sur la plaque huilée, arroser encore d'un peu d'huile, couvrir d'un papier aluminium et mettre à cuire à four moyen (thermostat 6) pendant 40 minutes.

Pendant ce temps, effeuiller les herbes fraîches, couper finement la truffe et préparer la sauce. Mettre à bouillir 10 cl d'eau avec une pincée de sel, un peu de poivre ; ajouter en fouettant 150 g de beurre frais.

Lorsque l'ébullition se produit, mettre de côté en tenant au chaud ; laisser infuser dans cette «sauce» les lames de truffes et leur jus. D'autre part, fouetter fermement la crème fraîche épaisse et garder au frais.

FINITION :

Répartir les courgettes dans quatre assiettes plates et larges en ayant soin de les éponger auparavant.

Récupérer à l'aide d'une fourchette les lames de truffes et les répartir sur les courgettes.

Donner une légère ébullition à la sauce et y incorporer la crème fouettée. Rectifier l'assaisonnement et en napper les courgettes. Parsemer d'herbes fraîches effeuillées.

REMARQUE ET COUP DE MAIN :

On peut remplacer la sauce aux truffes par une saucière d'huile d'olive, garnie de dés de tomates crues.

Michel Trama

TERRINE DE POIREAUX A LA VINAIGRETTE ET JULIENNE DE TRUFFES

INGRÉDIENTS POUR 6 PERSONNES :

Pour la terrine :
- 3 kg de poireaux
  sel, poivre

Pour la julienne :
- 2 truffes environ (50 g) fraîches ou en conserve

Pour la vinaigrette :
- 1 1/2 jus de citron
- 1/4 de litre d'huile de colza
- 7 g de sel
- 3 tours de moulin à poivre
- 5 cl d'eau bouillante
  pelures de truffes

136

Au verso de la page précédente : On attribue à Jacques Maximin la première utilisation des fleurs de courgette dans la nouvelle cuisine. Ici, il les farcit et les garnit d'herbes fraîchement cueillies.

RECETTE :

Nettoyer les poireaux, les couper à la longueur de la terrine, les attacher par bottes de six. Les faire cuire dans une grande quantité d'eau bouillante très salée, 10 à 15 minutes. Rafraîchir sous l'eau froide. Bien les égoutter.

Tapisser la terrine de papier d'aluminium en le faisant déborder. Disposer à plat une rangée de poireaux, le blanc du même côté. Saler, poivrer.

Recouvrir d'une autre couche de poireaux, mais cette fois le blanc sur le vert de la couche précédente. Saler, poivrer.

Recommencer l'opération jusqu'à ce que la terrine soit pleine.

Refermer le papier d'aluminium. Déposer la planche en appuyant. Retourner la terrine, déposer un poids par-dessus. Mettre au réfrigérateur une demi-journée.

La julienne

Peler les truffes. (Réserver les pelures pour la vinaigrette). Tailler les truffes en julienne.

La vinaigrette

Mixer le jus de citron, le sel, le poivre, les pelures de truffes. Ajouter l'huile de colza. Monter à l'eau bouillante en redonnant 3 tours de mixer.

Démouler la terrine, trancher, napper de vinaigrette, décorer avec la julienne de truffes.

137

Michel Trama remplit par couches superposées de poireaux une terrine (feuilles blanches sur feuilles vertes).
Ce plat est servi froid.

Jean-Marie Amat

SALADE D'HUÎTRES AU CAVIAR

INGRÉDIENTS POUR 4 PERSONNES :

 24 huîtres de Quiberon n° 1 ou Belon 00
 24 feuilles d'épinards
  2 petites échalotes
  3 cuillerées à soupe de vinaigrette
1/2 citron
100 g de caviar

Ouvrir et vider dans une casserole, sans les abîmer, les huîtres avec leur jus (il faut compter 6 huîtres par personne). Les amener jusqu'à ce que l'huître commence à se rétracter à la chaleur.

Les enlever très vite à l'aide d'une écumoire et les plonger dans un récipient d'eau froide. Les ébarber et les égoutter.

Passer le jus de cuisson au chinois et le réserver pour une autre préparation de poisson.

Ébouillanter les feuilles d'épinards 10 secondes et les rafraîchir. Envelopper chaque huître dans une feuille d'épinard et la poser dans un petit plat.

Parsemer sur les huîtres une fois qu'elles sont toutes rangées sur le plat l'échalote hachée très fine et l'assaisonnement additionné d'une cuillerée à soupe du jus des huîtres.

Faire tiédir à l'entrée du four.

Poser les huîtres en rosace sur des assiettes. Verser un peu d'assaisonnement sur chacune, répartir avec une cuillère à moka le caviar sur le sommet de chaque huître. Ajouter exactement une goutte de citron sur ce caviar et sur chaque huître. Servir immédiatement.

138

Pour ce plat, Jean-Marie Amat conseille d'utiliser des belons.

André et Arnaud Daguin

CHARTREUSE DE PERDREAU

INGRÉDIENTS POUR 2 PERSONNES :

   1 perdreau
   1 chou vert
200 g de poitrine de porc salée
   1 andouillette
   2 carottes
   1 oignon
   1 poireau
   1 cube bouillon de volaille
100 g de boudin
   2 cuillerées de graisse d'oie

Chartreuse de perdreau des Daguin.

Blanchir le chou découpé en quatre quartiers (trognon non paré) dans de l'eau bien salée.

Hacher finement 1 carotte, 1 oignon, 1 poireau et 150 g de poitrine de porc. Les mettre à revenir dans un plat à four et dans la graisse d'oie bien chaude.

Disposer les quartiers de chou blanchis (et non parés) sur cette garniture.

Mouiller au bouillon délayé jusqu'à mi-hauteur. Amener à ébullition.

Couvrir dès l'ébullition et enfourner à 140° pendant 3 heures.

Après cuisson, décanter sur une grille et récupérer le jus de cuisson (fond de braisage).

Le perdreau plumé sera vidé (on garde le foie et le cœur) puis coupé en deux à cru dans la longueur.

Colorer à la poêle et déglacer avec le fond de braisage des choux. Réduire le fond de trois quarts.

MONTAGE :

Beurrer 2 bols (15 cm). Trancher les 50 g de poitrine restant en deux lamelles les plus longues possible. En garnir le fond des bols.

Canneler la carotte restante et la trancher finement. Faire cuire les tranches 3 minutes à l'eau salée. En garnir le fond des bols.

Trancher finement l'andouillette et le boudin. En garnir le fond des bols.

Poser dans les bols et sur les garnitures précitées : une couche de chou, le demi-perdreau, une autre couche de chou jusqu'à hauteur des bords.

Envelopper de papier aluminium. Cuire 20 minutes à four très chaud (200°).

Déballer, égoutter, démouler sur assiette et napper du fond réduit bouillant.

139

LE STEAK DE CARPE DE BRENNE
AU CHINON ROUGE

INGRÉDIENTS POUR 4 PERSONNES :

  1 carpe de 4 livres levée en filet désarêtés et
coupés en quatre tranches.
Mariner ces filets steak de carpe la veille avec :

  2 cuillerées à café de poivre mignonnette
10 grains de coriandre
  1 pincée de quatre épices
  2 feuilles de laurier
  8 cuillerées à soupe d'huile d'olive

Pour la sauce

Il faut deux préparations. D'abord un fumet fait avec
l'arête concassée de la carpe. Suer en casserole avec
2 échalotes hachées et une noix de beurre. Ajouter
ensuite 3 dl de chinon, un petit bouquet garni avec céleri
et cuire 20 minutes. Passer la sauce au chinois et réserver.

LA SAUCE :

Réduire le fumet jusqu'à l'obtention de 10 cl de
liquide. Réduire dans une autre casserole 2 dl de vin
rouge de chinon avec une pincée de cannelle en poudre et
une pincée de sucre jusqu'à l'obtention de 5 cl de sauce.

Mélanger ces deux préparations et ajouter 50 g de
beurre.

LÉGUMES GARNITURE :

  1 petit chou frisé blanchi à l'eau bouillante salée
et cuit avec 150 g de poitrine de porc fumée
détaillée en lardons
  8 champignons sauvages cuits à la poêle au beurre

12 petits oignons grelot cuits et caramélisés à brun
  4 pommes de terre Roseval
cuites avec la peau au four sur du gros sel,
épluchées et passées ensuite au beurre.

Cuire les steaks de carpe à la poêle comme un steak
à l'huile d'olive.

POUR SERVIR :

Mettre le steak de carpe au milieu de l'assiette.
Disposer autour et en petits tas séparés les légumes et
napper le steak de carpe de la sauce.

Servir avec un chinon 5 ans.

*Jean Bardet garnit les steaks de carpe de choux, de lar-
dons, de pommes de terre, d'oignons et de champignons
sauvages.*

LE CIVET GOURMAND DE HOMARD ET LANGOUSTINES AU QUARTS DE CHAUME ET GINGEMBRE

INGRÉDIENTS POUR 4 PERSONNES :

1 homard de 1 kg environ
8 langoustines grasses

La sauce :

4 cuillerées à soupe de gingembre frais
1 dl de quart de chaume (vin blanc doux d'Anjou)
2 cuillerées à soupe de crème liquide
le jus d'un demi-citron vert, 200 g de beurre

La garniture :

4 courgettes, carottes,
navets tournés et cuits à l'eau salée

LA RECETTE :

Cuisson du homard et préparation

Cuire le homard 8 minutes à la vapeur dans un couscoussier. Séparer la queue du coffre et remettre les pinces 2 minutes.

Décortiquer le homard et le couper en 16 morceaux (attention, il doit être translucide).

Décortiquer les queues de langoustines crues.

Beurrer un petit plat allant au four et y passer les langoustines salées et poivrées.

La sauce

Rassembler dans une casserole le gingembre épluché et émincé, le quarts de chaume. Réduire à feu doux lorsqu'il ne reste plus que 2 cuillerées à café de liquide. Ajouter la crème et faire bouillir.

Ajouter alors le beurre ferme coupé en gros morceaux et fouetter à l'aide d'un petit fouet pour obtenir une sauce onctueuse.

Rectifier l'assaisonnement avec sel, poivre et jus de citron vert.

POUR SERVIR :

Chauffer les morceaux de homard au four dans un plat creux et 5 cl de quarts de chaume.

Passer les queues de langoustines au four très chaud pendant 1 minute.

Égoutter le homard et le disposer sur assiette avec les queues de langoustines. Napper de la sauce qui a été passée au chinois.

Ajouter les petits légumes chauffés au couscoussier et directement sur l'assiette à l'aide d'un zesteur. Agrémenter de filaments de citron vert. Décorer d'une petite branche d'aneth.

Pour consommer ce plat, je recommande un quart de chaume.

141

Au verso : Pour ce plat de homard, Jean Bardet prépare une sauce au beurre de gingembre.

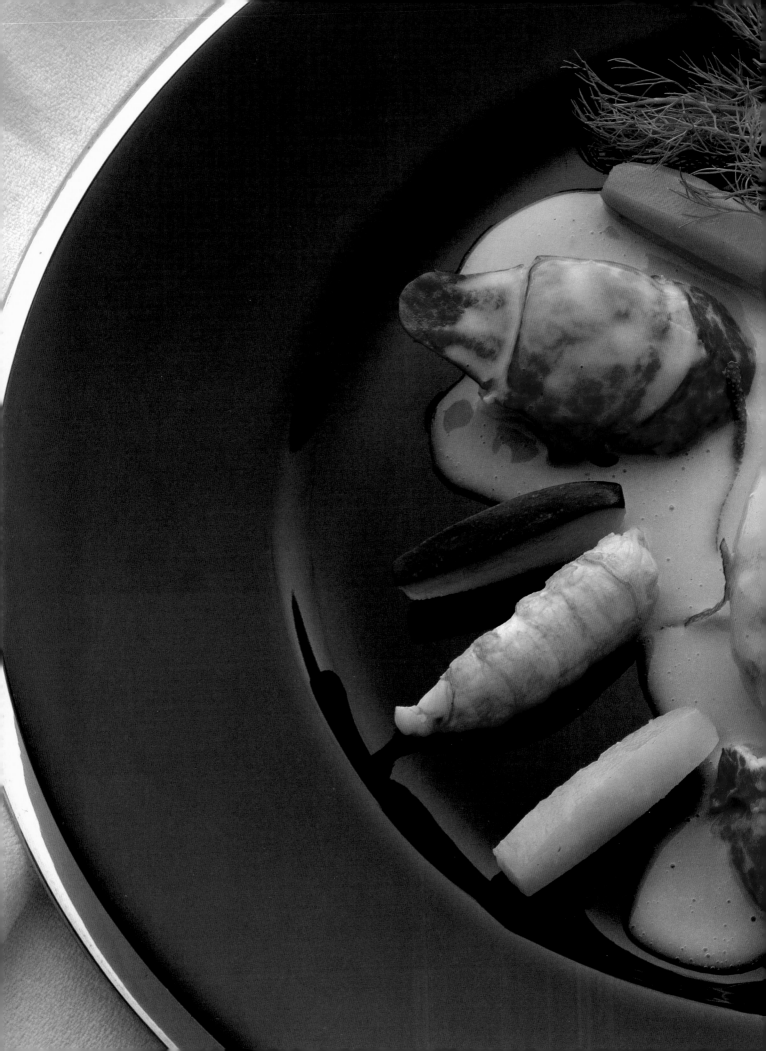

Jean Bardet

LE PETIT RAGOÛT FIN D'HUÎTRES SUR UNE MOUSSE LÉGÈRE AU CRESSON RENFORCÉE AU MUSCADET

INGRÉDIENTS POUR 4 PERSONNES :

20 huîtres spéciales grasses n° 2
 1 botte de cresson
 4 échalotes grises
200 g de beurre
 3 cuillerées à soupe de vinaigre de vin blanc
 4 cuillerées à soupe de muscadet
 1 cuillerée à café rase de poivre blanc concassé (mignonnette)
 1 pincée de cayenne

PRÉPARATION DES HUÎTRES :

Ouvrir et détacher les huîtres de leur coquille. Les rassembler dans une petite casserole avec leur eau et les 4 cuillerées à soupe de muscadet.

LE CRESSON :

Laver et trier le cresson et le cuire dans une grande casserole d'eau bouillante et salée. Cuire pendant 3 minutes et égoutter dans un récipient rempli d'eau glacée. Égoutter de nouveau puis mixer le cresson pour obtenir une purée fine.

LE BEURRE BLANC :

Éplucher et hacher les échalotes. Les mettre dans une casserole avec le poivre mignonnette, le vinaigre et les 3 cuillerées à soupe de jus d'huîtres. Faire cuire et réduire sur feu doux.

Lorsqu'il ne reste plus que 2 cuillerées à café de liquide, ajouter le beurre ferme coupé en gros morceaux et remuer avec un fouet sur feu moyen pour obtenir une sauce onctueuse. Passer le beurre blanc au chinois et réserver au chaud.

POCHAGE DES HUÎTRES :

Mettre la casserole sur feu doux et la retirer du feu 30 secondes après frémissement. Égoutter les huîtres.

Dans un petit bol, réserver la valeur de 20 cuillerées à café de beurre blanc.

La sauce terminée, ajouter au beurre blanc chaud restant, et hors du feu, 4 cuillerées à soupe de purée de cresson. Rectifier le goût si nécessaire avec sel et cayenne.

Page ci-contre : Après avoir fait macérer les huîtres dans du muscadet, Jean Bardet les sert avec deux sauces.

POUR SERVIR :

Napper le fond des assiettes chaudes de sauce cresson. Poser dessus 4 cuillerées à café de beurre blanc. Glisser une huître sur chacune d'elles. Mettre un soupçon de poivre de Cayenne sur chaque huître. Décorer de petites feuilles de cresson et servir chaud.

Je conseille de boire sur ce plat très maritime un muscader sur lie.

Didier Clément

FILET DE LIÈVRE EN AIGUILLETTES AUX CLÉMENTINES

INGRÉDIENTS POUR 4 PERSONNES :

2 râbles de lièvre
4 pommes reinettes
4 clémentines
1 fumet de lièvre
1 garniture taillée (échalotes, carotte, céleri, aromates) quelques pâtes fraîches
1 litre de vin rouge
 lard gras
 beurre

145

Filets de lièvre aux clémentines de Didier Clément.

Défaire les filets de lièvre du râble et les piquer de lard gras.

Concasser les os. Les colorer puis ajouter une garniture d'échalotes, carotte, céleri et aromates. Déglacer avec 1 litre de vin rouge et laisser réduire «à glace». Ajouter 1 litre de fumet de lièvre auparavant confectionné. Laisser réduire à nouveau des trois quarts.

Peler les clémentines; défaire les quartiers puis les glacer dans un sirop épais.

Dans une petite poêle, dorer un lit de pâtes fraîches garni de pommes émincées.

Sauter les filets de lièvre et les tenir très roses. Déglacer avec la sauce. Ajouter 50 g de beurre et 10 cl de sang de lièvre au dernier moment, sans faire bouillir.

Couper les filets de lièvre roses en aiguillettes. Dresser sur l'assiette déjà saucée. Poser la galette de pommes au centre puis orner avec les quartiers de clémentines.

MI-FIGUE MI-RAISIN AU LAIT D'AMANDES

INGRÉDIENTS POUR 4 PERSONNES:

Pour la crème glacée
1/2 litre de lait
6 jaunes d'œufs
80 g de sucre
25 cl de lait d'amandes

Pour le mi-figue mi-raisin
16 figues fraîches
16 grains de raisin de Muscat
1 kg de sucre
1 litre d'eau

Préparer une crème anglaise d'après les proportions ci-dessus. Parfumer avec le lait d'amandes puis turbiner la glace.

Pocher les figues dans un sirop (1 litre d'eau pour 1 kg de sucre) durant 4 minutes. Laisser refroidir. Réserver 12 belles figues.

Mixer le reste des figues et passer au chinois. Napper le fond de quatre assiettes avec le coulis de figues ainsi obtenu.

Découper les figues par moitié. Garnir avec une boule de crème glacée au lait d'amandes. Recouvrir avec le chapeau de figue.

Disposer les grains de raisin de Muscat autour des figues puis servir aussitôt.

Une façon parmi d'autres de bien terminer un repas chez Didier Clément: les figues pochées au lait d'amandes.

L'ESCALOPE DE FOIE GRAS DE CANARD AU VIEUX VINAIGRE

INGRÉDIENTS POUR 4 PERSONNES :

    4 escalopes de foie gras cru de 1 cm d'épaisseur
      et de 80 g chacune
    1 petite botte de ciboulette hachée
    8 cuillerées à soupe d'huile de noisette
    4 cuillerées à soupe de vinaigre mélangé

Vinaigre mélangé :

    3 cuillerées à soupe de vieux vinaigre de bordeaux
    1 cuillerée à soupe de vinaigre de xérès
    1 trait de vinaigre jeune

Saler et poivrer suffisamment les escalopes de foie gras, les fariner légèrement et les faire sauter à la poêle avec de l'huile neutre (huile de pépins de raisin) pendant 3 minutes sur chaque face.

Disposer ensuite les tranches de foie gras dans les assiettes de service. Arroser chacune d'elles de 2 cuillerées d'huile de noisette et 1 cuillerée de vinaigre mélangé. Recouvrir enfin les foies gras de ciboulette hachée.

N.B. : Le fait de passer les foies gras dans la farine avant de les cuire les rend plus croquants.

Je recommande, pour accompagner ce plat, de boire un vin rouge issu du cépage pinot noir, bourgogne rouge jeune ou sancerre.

148

ESCALOPE DE TURBOT GRILLÉ AUX HUÎTRES ET AU CAVIAR

INGRÉDIENTS POUR 6 PERSONNES :

      1 turbot de 1,3 kg environ
     18 huîtres plates
     30 g de caviar Sevruga + quelques œufs de saumon
     15 cl de champagne brut
     15 cl de crème fraîche
    125 g de beurre
      5 cl d'huile d'arachide
        sel, poivre de Cayenne

Laver les filets du turbot et les détailler en 6 escalopes d'un poids égal. Les aplatir entre deux feuilles de papier sulfurisé humide, afin de leur donner la même épaisseur.

Ouvrir les huîtres. En récupérer l'eau et la filtrer dans une petite casserole. Garder les huîtres et leur eau en attente.

Ajouter le champagne à l'eau des huîtres et faire réduire des trois quarts.

Ajouter la crème à la réduction champagne. Faire bouillir quelques instants afin d'obtenir une très légère liaison. Monter la sauce avec les 125 g de beurre. Garder en attente.

Assaisonner (sel et poivre) les escalopes de turbot. Les huiler sur les deux faces à l'aide d'un pinceau. Faire griller les escalopes sur un grill chaud, 2 minutes de chaque côté. Débarrasser. Tenir au chaud.

Faire tiédir les huîtres en les pochant très légèrement dans la sauce à feu très doux (on doit pouvoir tenir le doigt dans la sauce sans se brûler). Rectifier l'assaisonnement. Relever d'une petite pointe de cayenne.

Répartir la sauce sur six assiettes chaudes. Poser sur la sauce, au centre de chaque assiette, une escalope de turbot bien chaude. Sur chaque escalope de turbot disposer harmonieusement 3 huîtres pochées. Entre chaque huître, répartir 5 g de Sevruga par personne.

Terminer en disposant harmonieusement quelques œufs de saumon.

Jean Bardet recommande une préparation de foie gras à la fois simple et élégante.

Page ci-contre : Escalope de turbot grillée aux huîtres et au caviar. Elle doit être servie chaude avec un champagne glacé.

CES AUBERGES
OÙ L'ON RESPIRE
LE PARFUM DE LA VIEILLE FRANCE

Vieilles recettes et produits de ferme: les Français, comme s'ils avaient besoin de se rassurer, redécouvrent le très ancien terroir. Du Périgord à la Provence, de la Normandie aux Landes, de l'Auvergne au Gers, le vrai parfum de la France est, pour des millions de Français et d'étrangers, non pas celui de la prestigieuse «grande cuisine» mais ceux, tout simples et familiers, d'une bouillabaisse, d'une potée aux choux ou d'une poêlée de tripes. Ces plats ne se contentent pas d'être des nourritures bienfaisantes, ils sont aussi les symboles des régions où ils sont préparés et à ce titre aussi représentatifs qu'un paysage, un monument ou un type de culture. Un cassoulet, une bourride ou un coq au vin de Bourgueil ne sont rien de moins que des «monuments historiques» qui méritent d'être protégés, au même titre que les vieilles pierres.

Ces auberges qui, souvent, se cachent au fin fond de la campagne — mais pas toujours — sont un des meilleurs moyens de découvrir la France profonde et de l'aimer. Les grands restaurants peuvent être merveilleux mais il n'en est pas beaucoup qui vous apportent cette simplicité, cette chaleur humaine, ce contact avec les choses vraies que vous trouverez, par exemple, chez Marie-

Claude Gracia, à Pondenas, un village de deux cents habitants, en Gascogne. Marie-Claude est perpétuellement amoureuse. De l'amour, elle en donne à son mari, Richard, à son village, à son chien Marcel, à son vieux moulin où elle aménagera bientôt quelques chambres et, bien sûr, à sa cuisine. Elle a commencé en faisant avec son mari un atelier de conserves artisanales de foie gras. Puis l'idée d'ouvrir un restaurant lui a trotté dans la tête. Elle a racheté, dans son village natal, une vieille maison qu'elle a retapée et à laquelle elle a donné le nom de la Belle Gasconne.

Enthousiaste et bavarde, Marie-Claude vous montre comment découper un canard, préparer un foie gras ou faire cuire un poisson en cocotte avec des orties, arrachées le long de la route. Tout est si pur, si authentique et si bon, depuis la terrine de foie de canard jusqu'aux confitures maison, qu'une fois entré on n'a plus envie de sortir.

A des centaines de kilomètres de là, dans l'un des plus beaux et des mieux préservés villages de Normandie, Beuvron-sur-Auge, à proximité de Deauville, le feu crépite dans la cheminée de la grande salle du Pavé d'Auge, toute en boiseries et en poutres, aménagée dans d'anciennes salles du XVIᵉ siècle. Odile Engel, une femme robuste et dynamique, est certainement la reine de la cuisine normande, bien qu'elle soit née en Alsace... Elle en avait assez de préparer de la choucroute. Alors, elle est venue en Normandie, est tombée amoureuse de ce village et aussi des produits superbes que l'on trouve dans la région : poissons et crustacés qu'elle va chercher trois fois par semaine dans le port de Caen, lorsque les petits bateaux reviennent avec leur cargaison de soles, de turbots ou de saint-pierre, pêchés à la ligne ; lapins, canards et pigeons qu'elle collecte dans les fermes, sans oublier les liqueurs délicieuses, la crème fraîche et le beurre, d'une saveur incomparable.

C'est à Bordeaux que nous avons retrouvé l'an dernier un autre goût que l'on croyait, lui aussi, disparu : celui de la côte de bœuf. Certes, il existe en France de bonnes viandes (ne parlons pas du charolais, qui manque de gras et dont la réputation est assez usurpée) mais le marché est tellement fragmenté qu'elles sont difficiles à trouver. En tout cas, aucune ne paraît pouvoir rivaliser avec la côte de bœuf, cuite sur des sarments de vigne, que sert Jean-Pierre Xiradakis à la Tupina, une véritable auberge de campagne, perdue dans le vieux Bordeaux. Jean-Pierre porte un nom grec, mais il est né dans le Sud-Ouest. Devenu cuisinier, ce garçon s'est passionné pour la défense des produits régionaux. Il a même créé

une association de restaurateurs afin de les mieux faire connaître.

C'est en parcourant la campagne qu'il a découvert, dans la région de Bazas, au sud-est de Bordeaux, une très ancienne race de bœufs dont la viande était considérée au XVIe siècle par le roi Henri IV comme la meilleure du royaume. Depuis cinquante ans, la production, entièrement artisanale, n'avait pas cessé de décliner et elle aurait sans doute disparu si Jean-Pierre, émerveillé par la finesse de cette viande, n'avait pris l'engagement, avec quelques amis restaurateurs du Sud-Ouest, d'acheter d'importantes quantités aux derniers éleveurs de Bazas. Du coup, l'élevage a repris vie et de la France entière les commandes affluent. Et comme Jean-Pierre est aussi un formidable détecteur de vins de Bordeaux peu connus et d'armagnacs rarissimes, vous passez à la Tupina des moments mémorables.

Dans le Périgord, jadis grand pays de femmes cuisinières, beaucoup de restaurateurs servent des menus rigoureusement identiques et dont les principales spécialités (foie gras, confits d'oie, truffes et cèpes) sortent souvent d'un bocal ou d'une boîte de conserve. Ça n'est pas le cas de So-

Méandres de l'Yonne.

lange Gardillou. Il y a une quinzaine d'années, elle avait transformé un très ancien moulin, le Moulin du Roc, en une auberge assez luxueuse, dans un village nommé Champagnac-de-Bélair. Un jour, son chef disparut et Solange, qui n'avait d'autre formation que ce que sa mère lui avait appris, n'eut d'autre choix que de s'installer aux fourneaux. Elle s'est penchée tout d'abord sur les vieux plats qu'elle avait vu faire dans sa jeunesse, telle une truite farcie aux cèpes et grillée. Puis très vite elle en imagina de nouveaux. Le résultat a été spectaculaire. Simplicité, légèreté et harmonie sont les bases d'une cuisine bien personnelle où le foie gras chaud en feuille de chou, les gigots de pintade farcis aux herbes, servis avec une sauce légère au foie gras, ou une escalope de saumon aux poireaux se transforment en chefs-d'œuvre.

Dans un coin sauvage du Quercy, au bord d'une rivière et au pied de falaises creusées de grottes, habitées il y a quarante mille ans, à l'époque de la préhistoire, se dresse un manoir du XIVe siècle, entouré de parterres de fleurs, de légumes et de plantations d'arbres fruitiers. Vous êtes à la Pescalerie, près du village de Cabrerets, à trente kilomètres de Cahors. Un couple de médecins, Roger Belcour et Hélène Combette, l'a entièrement restauré, avec un goût extraordinaire. Pour se rembourser d'une partie des frais, ils eurent l'idée d'en faire un hôtel-restaurant. Ils emplirent la maison de bons meubles d'époque, de tissus raffinés, de bibelots et de tableaux modernes qu'ils avaient collectionnés! Avant d'ouvrir leurs dix chambres, ils les ont occupées l'une après l'autre pour vérifier qu'un voyageur du XXe siècle pouvait y trouver tout ce qui convenait à son confort et à son bonheur.

Fille d'hôteliers, Hélène a amassé des dizaines de savoureuses recettes familiales qu'au début elle préparait elle-même. Depuis, Michel Guérard lui a passé un de ses cuisiniers, à qui elle a transmis les fameuses recettes et dont elle surveille le travail en cuisine, du coin de l'œil. Mais tandis qu'ils se

régalent de truites, élevées dans le moulin de la propriété, de magret de canard au miel, d'un admirable chou farci, de volailles de la ferme, bien grasses et tendres, de fromages de chèvre, de succulents desserts et de vins de Cahors, la plupart des visiteurs de passage ne se doutent pas un seul instant que le charmant monsieur à lunettes et au crâne un peu déplumé qui apporte les plats et débouche les bouteilles est chirurgien chef à l'hôpital de Cahors. Car Roger, contrairement à Hélène, n'a pas abandonné son métier et tous les matins il s'en va à l'hôpital, au volant de sa vieille voiture qu'il ramène le soir bourrée de victuailles, achetées au marché ou dans les fermes avoisinantes. Arrivé à la Pescalerie, il enfile une paire de bottes, grimpe dans sa barque pour relever les filets posés la veille dans la rivière, file ensuite à la cave d'où il remonte quelques bonnes bouteilles qu'il va servir d'un œil gourmand à ses clients, un peu surpris tout de même que le «maître d'hôtel» de ce superbe manoir ne porte pas une veste blanche mais un vieux pull-over.

Il n'est pas un restaurant sur la Côte d'Azur qui ne propose des «poissons du pays». On oublie simplement de préciser de quel pays il

Page ci-contre: Le marché, en plein air ou couvert (comme celui-ci à Joigny), reste encore en France au cœur de la vie de tous les jours.

152

s'agit... La plupart du temps, ces poissons arrivent, frais ou congelés, de l'Atlantique ou même des côtes africaines. On peut compter sur les doigts de la main les cuisiniers qui, pendant la période d'été, lorsque la demande est la plus forte, parviennent à se procurer du poisson pêché réellement sur les lieux, entre Monte-Carlo et Saint-Tropez. Adrien et Étienne Sordello sont de ceux-là et c'est comme en pèlerinage qu'un public de plus en plus nombreux se rend au Restaurant de Bacon, au Cap d'Antibes, assuré de trouver dans son assiette les plus beaux poissons de la Méditerranée.

Si vous voulez découvrir la vraie bouillabaisse, c'est le moment ou jamais. Contrairement à la plupart de leurs confrères qui se contentent d'y faire cuire deux ou trois poissons, ils en mettent près d'une dizaine, dont une partie sont jetés après qu'ils ont servi à faire le bouillon. Pour pouvoir goûter cette merveille, certains clients réservent leur table d'une année sur l'autre. Certes, le restaurant a bien changé depuis trente ans, alors qu'il n'était encore qu'une simple baraque en planches. Il est resté, néanmoins, d'une grande simplicité et si vous levez la tête vous apercevrez peut-être à une fenêtre la maman Sordello qui n'a

jamais quitté sa maison depuis cinquante ans.

Hélène Barale, elle, a fait encore mieux. Elle n'a jamais bougé de la sienne depuis sa naissance. La vieille Hélène est la reine des cuisinières de Nice et le restaurant où, au début du siècle, sa maman préparait les spécialités niçoises tout en vendant de l'épicerie et du charbon, est devenu une sorte de monument national, dont les grosses tables de ferme et les instruments de cuisine feraient la joie des antiquaires. Trop fatiguée pour servir deux repas, Hélène n'ouvre que le soir et présente un seul et unique menu.

La cuisine niçoise est certainement l'une de celles qui a le mieux résisté et vous trouverez dans le vieux Nice de nombreux petits restaurants, très pittoresques, qui en perpétuent la tradition. Mais c'est chez Hélène qu'il faut, de rigueur, aller pour goûter les meilleures pissaladières (tartes à l'oignon, anchois et olives noires), soccas (crêpe de farine de pois chiche à l'huile d'olive), salade niçoise (radis, oignons, poivrons verts, tomates, olives et filets d'anchois), ravioli et daubes aux trois viandes qui mijotent plus de trois heures sur le feu. Ensuite, elle vous apportera une extraordinaire tarte aux blettes sucrée avec de la confiture d'abricot, un café, un vieux marc de Provence, et

153

si elle se sent en forme elle mettra en marche un de ses pianos mécaniques et peut-être même poussera-t-elle la chansonnette, comme au temps de sa maman.

On aimerait aussi vous emmener chez la Mère Fifine, à Saint-Tropez, qui, si vous le lui commandez à l'avance, vous cuisinera le meilleur aïolli du monde; chez les frères Gedda, à Bormes-les-Mimosas, qui, dans leur petite auberge couverte de roses, la Tonnelle des Délices, sont des maîtres de la cuisine provençale... Et il y a tellement d'autres noms dans la France entière qui viennent à l'esprit qu'un livre entier ne suffirait pas à les contenir. Mais on ne peut vous laisser partir sans que vous ayez fait connaissance avec Édith.

Édith Remoissenet habite un minuscule village, Vignoles, aux portes de Beaune, en Bourgogne. Elle est jeune, jolie, gaie, et très fantasque. Dans sa maisonnette couverte de vigne vierge, à l'ombre du clocher de l'église, elle a installé devant la cheminée de grosses tables de ferme, des bancs, quelques chaises et quand il y a vingt personnes, elle accroche un écriteau sur la porte: «complet». Vous vous installez entre les pots de confiture, les bocaux de cornichons, les grosses miches de pain et par la fenêtre vous apercevez les poulets, les chats et les chiens de la maison qui se courent après, dans les herbes folles.

Édith a appris la cuisine toute seule et rien ne ressemble moins à un restaurant que son Petit Truc. D'ailleurs, si vous n'avez pas réservé, elle vous refusera l'entrée. Même si sa salle est à moitié vide! Mais quelle cuisine! Une imagination rare. Nulle part ailleurs vous ne trouverez une compote de lapereau au cerfeuil, un pâté d'écrevisses à l'ancienne (un plat qui date du XVIIe siècle), une terrine de veau au chablis ou des escargots aux pommes de terre gratinées comme les siens. Ni une sublime tarte au chocolat dont elle conserve jalousement le secret et ne donnera la recette, dit-elle, qu'à l'homme qui l'épousera!

Chaque jour, Hélène Barale propose un seul menu typiquement niçois, dont la composition varie selon la saison et les produits de la pêche.

Page ci-contre: Bateaux de pêche sur la Côte d'Azur (Cannes).

UNE ESPÈCE EN VOIE DE DISPARITION: LES VRAIS BISTROTS

Le mot «bistrot» a cet avantage qu'on le comprend dans le monde entier. Il suffit de le prononcer pour qu'aussitôt apparaissent des images puissamment évocatrices, à la limite du folklore: une salle aux murs barbouillés de peinture marronnasse, patinée par le temps, des tables recouvertes de toile cirée, un comptoir en zinc derrière lequel le patron, en bras de chemise, sert le beaujolais ou le côtes-du-rhône, de robustes servantes qui plaisantent avec les habitués, le tout baignant dans les fumets du lapin chasseur ou du navarin d'agneau, mijotant au coin du feu d'une cuisine pas plus grande qu'un placard.

Avec le béret basque et la baguette de pain, le bistrot mériterait de figurer sur le blason de la France. Le plus amusant est que ce mot aurait été mis à la mode par les Russes. On dit en effet qu'il daterait de l'arrivée des troupes russes d'occupation, venues camper sur les Champs-Élysées, en 1815, au lendemain de la défaite de Waterloo. Assoiffés et pressés, les soldats du tsar auraient envahi les cafés en criant «Bystro! Bystro!», ce qui voulait dire «Vite! Vite!»

Vraie ou non, l'anecdote est amusante et, en tout cas, il n'est pas possible d'imaginer un séjour à Paris sans au moins un repas dans un de ces bistrots qui font partie de son patrimoine au même titre que Notre-Dame, le Louvre ou la tour Eiffel.

Le bistrot est un phénomène, en effet, typiquement parisien, bien qu'on en trouve l'équivalent dans tous les villages et villes de France, sous diverses formes. A Lyon, par exemple, on l'appelle «bouchon» ou encore «mâchon», du nom du traditionnel repas, à base de charcuteries, que l'on sert dans ces lieux généralement minuscules et toujours pittoresques, entre dix et onze heures du matin.

A Strasbourg, en Alsace, le bistrot devient «winstub» (bar à vin) et c'est une institution extrêmement populaire où l'on retrouve dans des salles aux boiseries sombres un public très mélangé, de jeunes et de très vieux, de riches et de moins riches qui viennent goûter le vin nouveau, les robustes plats préparés par la patronne, et surtout parler dans une atmosphère joyeuse.

Dans tous les cas, le bistrot est une entreprise familiale, avec le papa ou la maman aux fourneaux et un personnel attaché à la maison aussi solidement qu'une cheminée à son toit. Ça n'est pas encore tout à fait une survivance mais il est certain que ces petites maisons sont sérieusement menacées par l'extension des fast-foods, snack-bars et autres types de restauration moderne. Un certain nombre d'entre elles font venir leurs plats de cuisines centrales où ils sont mis sous vide. Bien que personne n'ose l'avouer, ce système

Au s'Burjerstuewel — winstub strasbourgeoise, surnommée par la clientèle «Chez Yvonne» — les touristes comme les habitués savourent avec plaisir les spécialités copieuses arrosées de vins d'Alsace.

semble se répandre de plus en plus. Il est donc important de savoir où l'on met les pieds, et entre deux bistrots choisir le vrai.

Avant d'en signaler quelques-uns particulièrement attirants, rappelons en deux mots ce qu'est la vraie cuisine de bistrot. Ça n'est rien d'autre, en fait, que la cuisine que l'on sert tous les jours et depuis toujours dans les familles. Une cuisine simple mais merveilleuse quand elle est faite avec amour et qui est beaucoup moins symbolisée par le steak-frites que par tous les plats lentement mijotés qui, tels le pot-au-feu, le bœuf bourguignon ou la gibelotte de lapin, ont derrière eux des siècles et des siècles. Certains ont droit au titre de « spécialité de la maison » et demeurent éternellement inscrits à la carte, mais dans tout bon bistrot le patron ou la patronne met un point d'honneur à varier ses plats chaque jour, en fonction du marché, de la saison ou de son humeur. Mal faite, cette cuisine, où la sauce est reine, peut s'avérer redoutable pour l'estomac. Bien faite, elle arrive à être presque légère et réveille, en tout cas, les vieux souvenirs d'enfance quand maman aux fourneaux mettait les petits plats dans les grands. Alors qu'il serait impossible, même si on en avait

les moyens, de déjeuner ou de dîner tous les jours dans les grands restaurants, dont la cuisine sophistiquée lasserait vite, on peut, au contraire, être un client assidu des bistrots sans jamais éprouver la moindre fatigue. Un autre de leurs attraits est qu'on y mange, en général, à des prix extrêmement raisonnables.

L'un des plus populaires se trouve dans l'île Saint-Louis, au cœur du vieux Paris historique : le Gourmet de l'Isle, dont le propriétaire, Jules Bourdeau, qui fêtera bientôt son quatre-vingtième anniversaire, sert depuis trente ans à des prix défiant toute concurrence (moins de cent francs) une cuisine franche et généreuse, à base de salades de bœuf aux lentilles, d'andouillettes poêlées, de potée aux choux, de poires au vin et de tartes aux fruits.

Non loin de là, au Pont Marie, le père et le fils Griffoul n'atteignent même pas ce prix-là en offrant aux habitués de leur bistrot centenaire de la soupe aux haricots, de la daube de porc et de la mousse au chocolat. Près de la place de la Concorde et fréquenté assidûment par le personnel de l'ambassade des États-Unis, Lescure, en activité depuis 1919, n'a rien changé à son décor et

c'est toujours avec la même gentillesse que les garçons servent une cuisine bourgeoise, absolument immuable dont les maquereaux frais au vin blanc, le bœuf bourguignon et le gigot au gratin dauphinois sont des valeurs reconnues.

En plein Saint-Germain-des-Prés, où les faux bistrots apparaissent et disparaissent à un rythme infernal, le Petit Saint-Benoît, imperméable aux modes, perpétue, dans un décor tellement vrai qu'on le croirait inventé pour les besoins d'un film, les vertus du potage aux légumes, de la blanquette de veau, du hachis Parmentier et de la compote de rhubarbe pour la plus grande joie d'une clientèle d'écrivains, de peintres et de petits commerçants qui finissent par se saluer d'une table à l'autre.

Dans le quartier très huppé du VIIᵉ arrondissement, la Fontaine de Mars constitue un exemple parfait de bistrot parisien comme il en existait jadis à chaque coin de rue. Banquettes en moleskine marron, chaises en bois un peu bancales, murs d'un jaune pisseux et comptoir garni de bouteilles. Les tables sont tellement serrées qu'on partage la conversation de ses voisins et le menu unique (autour de soixante francs, vin compris) est capable de rassasier un travailleur de force.

Dans le même quartier, Germaine vous sert sur de la toile cirée un lapin à la pollenta, un pot-au-feu et des tartes aux pruneaux qu'on ne ferait pas mieux chez soi. Le Pied de Fouet n'a guère changé, lui non plus, depuis l'époque où il était le rendez-vous de prédilection des cochers de fiacre de l'élégant faubourg Saint-Germain. André Gide, qui habitait tout à côté, y venait régulièrement déjeuner dans les années 50 et vous vous assoirez peut-être à sa table pour manger l'andouillette et les œufs à la neige au caramel qui vous permettront de ne pas franchir le cap des quatre-vingts ou quatre-vingt-dix francs!

N'en concluez pas que les bistrots sont toujours bon marché. Comme dans toute société, il existe des classes, des hiérarchies, et au-dessus des «petits bistrots» il y en a de «grands». Non par la taille, mais par la réputation de leur cuisine et le style, beaucoup plus élégant, de leur clientèle.

Pendant trois ou quatre décennies, Allard, sur la rive gauche de la Seine, fut un des rois incontestés des «grands bistrots». On ne sait, malheureusement, s'il convient toujours de le recommander car Fernande Allard, après la mort de son mari, a passé la main et il faudra attendre encore quelque temps pour savoir si le successeur sait se montrer

Charme et intimité au Bar de la Nouvelle Mairie.

digne de la formidable réputation de ce lieu où ont défilé tous les grands de la terre. En revanche, Benoît est toujours solide au poste depuis sa création en 1912, et Michel, le petit-fils du fondateur, a conservé pieusement le décor d'origine aussi bien que le saucisson chaud et l'admirable bœuf braisé qui ont fait le succès de la maison.

A la lisière du vieux quartier du Marais, l'Ambassade d'Auvergne n'est pas à proprement parler un bistrot parisien. Les deux salles aménagées dans une très ancienne maison évoquent plutôt, avec leurs poutres, leurs gros jambons suspendus au plafond et leur grande table de ferme autour de laquelle on s'assied entre inconnus, l'atmosphère d'un petit restaurant de village en Auvergne. Vous ne regretterez pas, en tout cas, de venir là manger le meilleur jambon cru de Paris et des plats aussi nourrissants que délicieux, comme le boudin aux châtaignes, la potée d'Auvergne, le cassoulet aux lentilles ou le chou farci. Les prix sont plus élevés que dans un bistrot de quartier mais infiniment moins que ceux d'un grand restaurant et la cuisine est si bonne, l'accueil si charmant que vous avez l'impression qu'on vous fait un cadeau.

Néanmoins, l'empereur incontesté des grands bistrots parisiens demeure l'Ami Louis. L'ami Louis se prénomme en réalité Antoine. Il est né dans un quartier populaire de Paris, il y a près de quatre-vingt-dix ans et bien qu'ayant fait son apprentissage en Suisse, il a un fort accent bourguignon et un faible pour la cuisine du Sud-Ouest. Depuis près de cinquante ans, il entretient, avec un soin vigilant, ce vieux bistrot dans un état de délabrement et de haute misère qui mériteraient que l'on transporte le tout dans un musée des arts folkloriques. Jusqu'à une date récente, on pouvait encore voir sur les vitres la peinture bleue qui était obligatoire pendant la dernière guerre, afin de tamiser les lumières. Il a tout de même fini par les gratter, mais tout le reste est demeuré intact (si l'on peut dire) : les peintures écaillées, les tables en bois, les chaises branlantes, les « toilettes » indescriptibles, l'éclairage à peine plus puissant que celui d'une ferme oubliée au fin fond de la campagne et les cuisines où dans un désordre savant ce très vieux jeune homme barbu, qui pousse parfois des colères homériques mais sait aussi se montrer un hôte charmant, prépare une cuisine divine. Son foie gras frais, son jambon des Landes, sa côte de bœuf, ses cèpes, son gigot bien tendre sous une peau croustillante, tout est merveilleusement bon. Et servi comme si vous

159

L'arrivée du Beaujolais Nouveau au Bar de la Nouvelle Mairie.

étiez des ogres. La moindre assiette suffit pour nourrir deux ou trois personnes. D'ailleurs, si vous faites preuve d'un peu de diplomatie, le serveur acceptera de partager les portions. Il en restera suffisamment dans votre assiette pour nourrir les chiens malheureux du quartier dont le père Antoine est le bienfaiteur attitré. Ainsi saurez-vous, en payant trois cent cinquante francs environ par personne, que vous participez involontairement à une œuvre charitable.

A partir du haut, à gauche: 1. Chez Willi's, bar parisien spécialisé en vins, on vous offre une centaine de vins (vendus au verre si vous le désirez), et de la bonne et solide cuisine anglaise. 2. Pour la cuisine traditionnelle, l'Ami Louis (établi depuis déjà cinquante ans) est peut-être le meilleur bistrot de Paris. 3. Le bistrot parisien de Jacques Melac vous propose un menu du jour, du vin vendu au verre, et une agréable compagnie.

Page ci-contre: Pont à Joigny.

LES SOMMELIERS :
DES GRANDS PRÊTRES
DE MOINS EN MOINS INTIMIDANTS

Si l'on sait qu'il existe en France huit cent soixante-quinze mille viticulteurs recensés, dont chacun produit un vin sensiblement différent de celui du voisin, on a une idée du gouffre d'ignorance au bord duquel on se trouve au moment de choisir un vin. Le vin est une véritable science, et devant le sommelier on se trouve à peu près dans la même disposition d'esprit que lorsqu'on confie sa santé à un médecin ou son âme à un confesseur. Conscient de sa supériorité, le sommelier adopte un maintien solennel qui le fait souvent ressembler à un archevêque, donnant sa bénédiction à la foule des fidèles.

Nous nous souvenons d'un grand restaurant de Bourgogne où l'arrivée d'une bouteille dans la salle donnait chaque fois lieu à une véritable cérémonie. On transportait le panier comme si cela avait été le saint-sacrement et quand le sommelier, après avoir fait tourner le vin dans le verre, le humait lentement en fermant les yeux puis en prenait une gorgée qu'il faisait rouler dans sa bouche, la salle retenait sa respiration. Alors, ménageant ses effets, il attendait un petit moment avant de laisser tomber son verdict. Un verdict d'ailleurs toujours favorable qui se traduisait par un hochement de tête, du haut vers le bas.

Ce genre de spectacle était fréquent il y a encore une quinzaine d'années et il se trouve de nos jours des sommeliers de la vieille génération qui continuent de donner à leur fonction toute la pompe et la majesté dont une longue tradition l'a entourée. Mais l'arrivée d'une vague de jeunes a commencé à modifier profondément le comportement des nouveaux sommeliers.

L'enseignement du vin est devenu beaucoup plus technique et plus approfondi qu'il l'était dans le passé. Il ne s'agit plus, à présent, de jouer une pièce ou de célébrer une sorte de messe, mais de faire profiter le client de ses propres connaissances. Le service du vin s'est donc simplifié, tout comme d'ailleurs les rapports entre le client et le sommelier. Celui-ci ne cherche plus à l'impressionner mais au contraire à le préparer au plaisir de boire. En outre, le sommelier de la jeune génération est beaucoup moins paresseux que ses prédécesseurs. Jadis, un restaurant se flattait d'avoir une belle carte des vins lorsqu'il s'y trouvait un maximum de noms célèbres. Cette politique encourageait l'indolence car on était sûr de ne jamais se tromper en conseillant des latour, de l'yquem et de la romanée-conti. A présent, une belle carte est celle où, à côté des crus illustres, on peut déceler toutes sortes de vins moins connus mais choisis pour leur personnalité et leur qualité. D'ailleurs, les sommeliers qui, autrefois, attendaient tranquillement la visite des courtiers ou

La tradition de la Tour d'Argent exige que les clients descendent dans les fameuses caves pour y prendre comme digestif un cognac ou un armagnac.

commandaient toujours les mêmes vins aux mêmes propriétaires se sont mis à voyager fréquemment dans les vignobles, à chercher de nouvelles adresses et à pratiquer de façon suivie des dégustations comparatives.

Il s'agit néanmoins là d'une élite relativement peu nombreuse, dont les vedettes sont, par exemple, Marcel Périnet (Blanc, à Vonnas), Georges Pertuiset (Lameloise, à Chagny), Klaus Werner (les Crayères, à Reims), Jean-Claude Jambon (Faugeron, à Paris), Antoine Hernandez (Robuchon, à Paris), Jean-Claude Maître (le Crillon, à Paris), Jean-Pierre Rous (le Royal-Gray, à Cannes), Jean Jacques (Bardet, à Châteauroux), Jean-Luc Pouteau (le Pavillon de l'Élysée, à Paris), qui a décroché, à Bruxelles, le titre de «meilleur sommelier du monde», et bien d'autres que, faute de place, on ne peut citer.

L'autre nouveauté est la passion du vin qui s'empare d'un nombre grandissant de chefs et de restaurateurs. Ils jouent eux-mêmes le rôle de sommelier, en allant faire leurs achats dans les vignobles, en suivant parfois des cours d'œnologie, en participant activement à des bancs d'essais à l'aveugle — notamment à ceux organisés chaque mois par le magazine *Gault-Millau,* et certains comptent maintenant parmi les meilleurs experts de France.

C'était le cas du regretté Jean Troisgros qui était à peu près imbattable dans les dégustations à l'aveugle et c'est celui d'hommes comme Alain Chapel (Mionnay), Jacques Pic (Valence), Pierre Laporte (le Café de Paris, à Biarritz), Michel Guérard (Eugénie-les-Bains), Marc Meneau (Saint-Père-sous-Vézelay), Jean-Claude Vrinat (Taillevent, à Paris), Alain Dutournier (le Carré des Feuillants), Guy Savoy (à Paris), Michel Oliver (le Bistrot de Paris), Alain Senderens (Lucas-Carton, à Paris), Lucien Vanel (à Toulouse), Michel Trama (à Puymirol), Christian Clément (Dubern, à Bordeaux), Jean-Marie Amat (Saint-James, à Bordeaux), Pierre Menneveau (Rôtisserie du

Chambertin, à Gevrey-Chambertin), et des dizaines et des dizaines d'autres.

Les femmes, d'ailleurs, ne sont pas absentes et, si elles ne sont pas encore très nombreuses, elles montrent souvent un talent exceptionnel comme Jacqueline Lorain (à Joigny), Sophie Bardet (à Châteauroux), Mme Barrat (le Lion d'Or, à Romorantin) ou Maryse Allarousse (le Panorama, à Dardilly, près de Lyon) qui a même remporté un diplôme de «meilleur sommelier de France».

Nul ne peut prétendre que l'on ne sert dans les restaurants de France que des vins merveilleux des meilleures années. On pourrait même emplir un long chapitre avec toutes nos mauvaises expériences. Néanmoins, on n'a jamais assisté à un tel effort et constaté un tel enthousiasme pour la connaissance du vin, et il est significatif que tous les bons restaurants cités dans ce livre soient aussi des endroits où le vin est l'objet d'une véritable ferveur. Il n'est pas un jeune chef de talent qui ne soit aussi un connaisseur en vin ou ne cherche à le devenir.

Il est vrai que, de tous les plaisirs de la table, le

Il y a 30 000 clos de vigne dans le Bordelais. C'est la région vinicole la plus importante en France. En dépit de ressemblances, aucun cru n'est semblable à un autre.

vin est le sujet le plus passionnant, le plus intrigant et celui qui permet de se poser le plus grand nombre de questions. Ce domaine est beaucoup trop vaste pour que l'on s'y aventure ici. Ce livre n'est pas un ouvrage sur le vin mais sur les restaurants, et si l'on peut déjà offrir quelques idées, éventuellement originales, sur leur mariage idéal avec un certain nombre de plats, on s'estime satisfait.

Insistons sur un point fondamental. La gastronomie, qui devrait être un art tout en nuances, possède au contraire un caractère dogmatique assez insupportable. L'usage du vin, en particulier, obéit à des lois qui ne sont pas nécessairement justes mais que l'on se transmet de génération en génération, comme si elles avaient été édictées par Dieu en personne. Or, dans ce domaine, seuls comptent l'expérimentation et le plaisir que l'on éprouve.

Il y a vingt ans, par exemple, pas un sommelier ne se serait permis de faire boire un vin rouge avec un poisson ou un vin blanc avec une viande. De même, il était admis une fois pour toutes qu'un grand vin devait être obligatoirement décanté ou

qu'un bordeaux rouge devait être chambré. Sans avoir aucune opinion à priori, il paraissait en tout cas absurde d'affirmer quoi que ce soit avant de soumettre son jugement à une expérience préalable. Depuis plus de vingt ans, nous soumettons ces prétendues lois intangibles à l'épreuve de l'expérimentation et la conclusion est qu'il y a autant d'usages complètement erronés que d'autres parfaitement justifiés. Cette idée est heureusement de plus en plus répandue, les esprits se sont ouverts et tous ceux qui s'intéressent au vin recherchent toutes les combinaisons possibles, souvent inattendues, de mariages avec les plats.

Certains même poussent le raffinement, comme Sophie Bardet ou Alain Senderens, à composer des repas à partir des vins et non l'inverse. Ils sont loin d'être les seuls et nous avons encore en mémoire un superbe dîner, imaginé par Jean-Claude Vrinat au Taillevent autour de plusieurs millésimes de château-d'yquem qui avaient été apportés par un médecin de San Francisco. L'expérience mérite toujours d'être tentée et si vous avez des vins préférés, n'hésitez pas de demander à l'avance au restaurateur de vous composer tout un repas autour de ces vins. Vous vivrez peut-être là une des plus grandes joies de votre vie de gastronome.

Toutefois sans aller aussi loin, on peut avoir présentes à l'esprit quelques possibilités, échappant aux règles classiques et qui procurent un maximum de plaisir. Voici tout d'abord quelques réflexions inspirées par des expériences nombreuses et répétées.

1. On prétend que le mélange des vins blancs et rouges donne mal à la tête. C'est faux. On a mal à la tête quand on boit trop. Se condamner à la pratique du vin unique revient à se priver des harmonies ou des contrastes qu'apportent à un repas un vin blanc et un vin rouge.

2. On dit qu'un vieux vin doit être toujours décanté. Ça n'est pas évident. Bien souvent un contact prolongé avec l'air lui est fatal. Nous

Même si sa peau est colorée, le raisin rouge ne donne qu'un jus incolore. La couleur rouge du vin provient de la fermentation du jus auquel on a ajouté la peau et les pépins. Ceux-ci seront éliminés par la suite.

avons fait l'essai un jour, avec deux bouteilles de lafite-rothschild 1870. La première, ouverte deux heures avant le repas et transvasée dans une carafe, avait perdu une bonne partie de ses arômes. L'autre au contraire, débouchée au dernier moment, les avait conservés. En revanche, un vin rouge jeune ou un peu dur peut beaucoup gagner si on le verse préalablement dans une carafe. En s'oxydant légèrement, il s'assouplit.

3. On a pendant longtemps chambré le vin rouge, auprès d'une source de chaleur. C'était justifié lorsque les maisons étaient peu chauffées et que l'on remontait le vin directement de la cave où régnait une température voisine de 12°. Aujourd'hui, les appartements sont généreusement chauffés et un bordeaux ou un bourgogne à 20° ou plus est un non-sens. Le vin devient lourd et peu agréable à boire. Pour l'apprécier, il ne faut pas dépasser 17 ou 18° dans le cas d'un bordeaux et 14 ou 15° dans le cas d'un bourgogne rouge.

Mais il est tout aussi regrettable de boire certains vins trop froids. On les tue. Un beaujolais servi dans la glace n'exprime pas tous ses arômes et un bourgogne ou un côtes-du-rhône blancs seront bien meilleurs autour de 12 ou 13° plutôt que servis glacés. Un vin d'Alsace ou de Loire sera parfait autour de 10 ou 11°. Et, en général, un vin rouge, jeune et un peu dur, gagnera à être servi frais car il exprimera beaucoup mieux son fruit.

4. L'abondance de grands vins, au cours du même repas, est une erreur. On fait rarement un bon film avec une demi-douzaine de grandes vedettes. Une ou deux suffisent car, au lieu de se détruire, elles se complètent. Si, par exemple, vous avez porté votre choix sur un château-d'yquem, ne le faites suivre d'aucun autre vin blanc, aussi beau soit-il, et passez directement à un grand vin rouge, d'une race équivalente, comme un premier cru de bordeaux, un superbe pomerol, un hermitage ou un bourgogne de haute lignée.

5. Contrairement à ce qui a été fréquemment dit, on peut faire de mémorables repas, autour de vins modestes mais bien choisis. On peut passer une soirée exquise en écoutant du Johann Strauss mais un concert où « le Beau Danube bleu » alternerait avec un concerto de Beethoven ou une symphonie de Mozart aboutirait à une cacophonie. Il existe un nombre considérable de petits vins charmants comme le saint-véran (Bourgogne), le chi-

166

Les vendanges.

non (Loire), le cornas (Côtes du Rhône), le bandol (Provence), le bergerac (Sud-Ouest) et bien d'autres entre lesquels règne une véritable harmonie de saveurs. C'est le rôle du sommelier de les marier les uns avec les autres ; s'il aime son métier, il sera enchanté de se livrer à cet exercice.

Maintenant, voici quelques propositions pour accompagner certains plats avec certains vins.

Foie gras

Le sauternes mais aussi bien d'autres vins blancs, comme un bourgogne de type meursault ou montrachet, un alsace tokay ou gewurztraminer, un vin de Loire savennières ou un côtes-du-rhône tel que le condrieu, l'hermitage, le châteauneuf-du-pape ou même le muscat de Beaumes-de-Venise, qui n'est pas très éloigné d'un sauternes, mais en moins sucré. Certains vins rouges sont également très agréables : des vins rustiques, comme le cahors, le bergerac ou même un jeune bordeaux « cru bourgeois ».

Servi en fin de repas, juste avant le fromage, le foie gras s'harmonise merveilleusement bien avec un vieux porto rouge ou blanc et même un xérès, que l'on gardera pour accompagner un roquefort.

Monbazillac, un vin blanc de dessert généreux.

Huîtres et coquillages

Neuf fois sur dix, on vous propose un muscadet. S'il est aussi bon que le « muscadet sur lie » de Métaireau, pas d'objection. Mais souvent le muscadet est excessivement acide et on peut lui préférer un graves blanc sec, un sancerre, un chablis ou même un grand bourgogne plein de sève comme le corton-charlemagne. N'oubliez pas non plus les rouges jeunes et frais : chinon, bandol, coteaux d'Aix-en-Provence, pinot noir d'Alsace. Ils se conjuguent fort bien avec la saveur iodée des huîtres.

La personnalité d'un vin commence avec le raisin, le sol et le climat.

Crustacés

Avec le homard, le crabe, les langoustines froids, prenez un vin blanc sec possédant un peu de fruit, dans le genre sancerre, quincy, saint-pourçain ou riesling. Chauds, les crustacés acceptent des crus plus nobles et plus moelleux: pouilly-fuissé, meursault, puligny-montrachet (Bourgogne), coulée-de-serrant (Anjou), hermitage, saint-joseph ou condrieu (Côtes du Rhône).

Poissons

Avec des poissons au beurre blanc, des vins de Loire (saumur, sancerre, pouilly fumé). Avec des sauces au vin rouge, le même vin rouge ou bien un vin blanc, assez riche et gras, de Bourgogne ou des Côtes du Rhône, qui s'opposera à la sauce sans la détruire.

Et si avec du saumon fumé ou du caviar, il serait désastreux de boire du vin rouge, en revanche, avec du saumon frais grillé sauce béarnaise, ou même une sole, également grillée, un vin rouge frais (bordeaux, de Loire, beaujolais, ou Bouzy de la Champagne) sera tout indiqué.

Avec une friture de petits poissons, du muscat d'Alsace, et avec la bouillabaisse un vin de Provence blanc, comme le Cassis.

Escargots

Un bourgogne rouge pas trop capiteux (savigny-lès-beaune, meursault rouge, moulin-à-vent, côtes-de-beaune-villages, beaujolais-villages, fleurie).

Agneau

Pour l'agneau de lait, des rouges pas trop corsés (pauillac, saint-estèphe, saint-julien), avec un gigot ou une selle d'agneau, un grand bordeaux ou un bon vin de Provence (côtes d'Aix, bandol). Avec de l'agneau ou du mouton en sauce, un vin rouge de Loire (saumur-champigny, bourgueil), un côtes-du-rhône (gigondas) ou un vin du Languedoc (fitou, corbières).

Bœuf

S'il s'agit d'une grillade, n'importe quel vin rouge simple (beaujolais, languedoc, côtes-du-rhône-villages, petit bordeaux) mais si la viande est d'une qualité exceptionnelle, montez d'un degré dans le choix du vin, avec une très bonne côte de bœuf cuite sur des sarments de vigne, comme on le fait à Bordeaux.

Il n'y a pas de raison pour ne pas boire un superbe médoc ou même un prestigieux pomerol. En Normandie, on nous a servi un jour de la viande de bœuf avec un verre de calvados. Après un

moment d'hésitation, nous avons osé, c'était fantastique. Le pot-au-feu demande des vins rouges bien rustiques (morgon, cahors, côtes-de-buzet, bergerac, chinon) et avec du bœuf bourguignon un vin de Bourgogne, relativement simple comme le rully, le passetoutgrain ou le mercurey.

Porc

Pour les charcuteries, un gamay frais, un beaujolais ou bien un vouvray blanc sec. Pour les plats cuisinés, cette viande grasse appelle un rouge frais, style beaujolais, pinot noir d'Alsace, cahors ou bergerac. Lesquels se marient parfaitement avec une choucroute sur laquelle il n'est pas du tout indispensable de servir un vin blanc d'Alsace.

Poulet

Rien de meilleur avec un poulet grillé qu'un rouge jeune des Côtes de Beaune (savigny, blagny), du Médoc ou de la Loire (champigny, bourgueil). Avec une volaille à la crème un bourgogne blanc (meursault) ou un rouge léger de type beaujolais.

Canard

Il mérite des vins soutenus et charpentés. Un grand médoc, un pomerol, un hermitage mais aussi des vins moins prestigieux comme le cahors, le madiran ou le saint-joseph (Côtes du Rhône).

Gibier

Le gibier à chair blanche (faisan, perdreau) s'entend très bien avec des bourgognes rouges légers (chambolle-musigny, clos-de-vougeot), mais essayez donc un perdreau rôti avec un bâtard-montrachet (bourgogne blanc) et vous serez surpris par ce divin mariage. Le gibier à chair brune (chevreuil, lièvre, sanglier) appelle des vins rouges riches et puissants: gevrey-chambertin, pommard (Bourgogne), châteauneuf-du-pape, hermitage, côte rôtie (Côtes du Rhône) ou un grand pomerol. Mais certains vins blancs un peu liquoreux (sauternes, anjou), ou bien un vieux tokay d'Alsace ou encore un grand bourgogne (corton-charlemagne) s'harmonisent parfaitement au goût relevé du gibier et de sauce.

Fromages

On recommande depuis toujours de boire un très grand vin rouge avec le brie, le roquefort ou un beau camembert fermier. C'est une erreur. Un fromage au goût puissant tue un grand vin. Avec des fromages forts, il faut savoir se limiter à des vins rouges robustes et tanniques, comme le sancerre rouge, le côtes-du-rhône-villages, le bergerac, le cahors ou le madiran. Certains vins blancs conviennent parfaitement: par exemple, le sauternes avec le roquefort, l'hermitage blanc avec le saint-nectaire, le riesling avec le munster ou le livarot, les vins de Savoie avec le gruyère ou la tomme et le sancerre avec le fromage de chèvre.

Desserts

Il est toujours très difficile de bien terminer un repas, car les desserts alcoolisés ou ceux à base de fruits se marient mal avec le vin. Avec une tarte, on peut servir à la rigueur un blanc ou un rouge léger (anjou, saumur, bourgueil, sancerre) et avec des pâtisseries un blanc sec de Graves. On a découvert également qu'avec le chocolat un muscat beaumes-de-venise ou un vieux banyuls faisaient merveille. Un autre mariage insolite mais très agréable est le xérès demi-sec avec les sorbets aux fruits.

Si l'on ne veut pas trop se creuser la tête, on peut toujours commander du champagne (soixante pour cent du champagne consommé en France l'est au moment du dessert). Mais préférez à tout autre le champagne rosé. Sa structure charpentée est celle qui convient le mieux à la saveur sucrée des desserts.

L'autre solution dont on s'accommode fort bien, est de terminer le repas avec le vin — rouge ou blanc — que l'on a bu avec le plat précédent. Ça n'est peut-être pas très imaginatif, mais si votre femme vous rend heureux, pourquoi en changeriez-vous?

169

Le processus qui produit les bulles d'un champagne de qualité demande six ou sept ans durant lesquels une même bouteille subit quelque deux cents manipulations.

ANNEXES

LES CRUS DE BORDEAUX ET DE BOURGOGNE

Comme tout organisme vivant, le vin évolue, s'améliore ou se détériore avec le temps. En mûrissant, un cru médiocre peut s'améliorer. Le contraire peut malheureusement également se produire. Voici un tableau présentant un aperçu des derniers crus de bordeaux et de bourgogne.

***** ANNÉE EXCEPTIONNELLE
**** TRÈS GRANDE ANNÉE
*** GRANDE ANNÉE
** BONNE ANNÉE
* ANNÉE MÉDIOCRE
— MAUVAISE ANNÉE

BORDEAUX

Année	Rouges	Blancs		Année	Rouges	Blancs
1984	*	**		1978	****	—
1983	****	***		1977	—	—
1982	*****	**		1976	**	**
1981	****	**		1975	*	***
1980	**	*		1970	****	***
1979	***	*				

BOURGOGNES

Année	Rouges	Blancs		Année	Rouges	Blancs
1984	*	**		1978	****	*
1983	**	***		1976	****	****
1982	**	****				
1981	*	*				
1980	—	—				
1979	**	***				

LES GRANDS BORDEAUX

Depuis 1855, on a l'habitude de diviser les vins de Bordeaux en cinq catégories de crus. Récemment, la revue *Gault-Millau* a mené une enquête auprès de 300 spécialistes (œnologues, courtiers en vins, sommeliers, cavistes) pour déterminer une hiérarchie des meilleurs bordeaux rouges. Voici le classement, par ordre de préférence, de leurs vins favoris (les vins sont notés de 1 à 100) :

Premiers crus :

Latour	98
Margaux	90
Haut-Brion	90
Mouton-Rothschild	88
Lafite-Rothschild	85

Deuxièmes crus :

Ducru-Beaucaillou	96
Pichon-Longueville, Comtesse de Lalande	96
Léoville-Las Cases	95
Cos d'Estournel	89
Gruaud-Larose	71

Troisièmes crus :

Palmer	97
Giscours	95
La Lagune	94
Calon-Ségur	89

Quatrièmes crus :

Prieuré-Lichine	91
Talbot	89
Duhart-Milon-Rothschild	88
Beychevelle	84

Cinquièmes crus :

Lynch-Bages	100
Grand-Puy-Lacoste	100
Haut-Batailley	100
Dauzac	98
Cantemerle	96
Clerc-Milon	96
Pontet-Canet	94
Mouton-Baronne Philippe	93
Batailley	91

Bien que moins connus, les crus bourgeois de Médoc sont très prisés à l'heure actuelle. Ils représentent un bon achat. Notre jury de spécialistes a particulièrement attiré notre attention sur les vins suivants :
Chasse-Spleen, Gloria, de Pez, Sociando-Mallet, Phelan-Ségur, Meyney, Poujeaux-Theil, Haut-Marbuzet, Siran, Bel-Air-Marquis d'Aligre, Lanessan.

La classification officielle de 1855 ne reconnaissait qu'un seul vin de Graves : le Haut-Brion. Il est grand temps de remédier à cette injustice. Voici quelques-uns des meilleurs vins de Graves aujourd'hui :
La Mission-Haut-Brion, Domaine de Chevalier, Haut-Bailly, Pape-Clément, Smith-Haut-Lafitte, Fieuzal, Carbonnieux, Bouscaut, Olivier.

Les vins rouges de Pomerol ne sont pas classés entre eux, bien qu'ils fassent partie des meilleurs vins de Bordeaux. Leurs prix sont souvent plus élevés que ceux des médoc les plus connus (15 000 F au Ritz pour un château Pétrus 1947). Voici une brève liste des vins de Pomerol «vedettes», dans l'ordre de mes préférences :
Pétrus, Trotanoy, L'Évangile, Lafleur-Pétrus, La Conseillante, Petit-Village, Latour-Pomerol, Vieux-Château-Certan, Certan de May, Lagrange, Nenin, Gazin, L'Église, L'Église-Clinet, Clos René, La Pointe, Le Bon Pasteur, Beauregard.

Les vins rouges de Saint-Émilion sont innombrables et ont leur propre système de classification. Parmi les plus appréciés, citons :
Cheval Blanc, Figeac, Ausone, L'Angélus, La Gaffelière, Pavie, Balestard-la-Tonnelle, Corbin-Michotte, Grand-Barrail-Lamarzelle-Figeac, Grand-Mayne, Grand-Corbin, La Dominique, Saint-Georges, Soutard, Grâce-Dieu.

Enfin, dans les sauternes, qui sont réputés pour être les meilleurs vins blancs doux du monde, nous recommanderons :
d'Yquem, Suduiraut, Coutet, Climens, Guiraud, Lafaurie-Peyraguey, Rieussec, Filhot, de Malle, de Rayne-Vigneau, Haut-Peyraguey, La Tour-Blanche, Gilette.

LES GRANDS RESTAURANTS

PARIS

1er arrondissement

Le Carré des Feuillants
14, rue de Castiglione
Tél. 42.96.67.92.
Service jusqu'à 22 h 30
Fermé: samedi et dimanche
Carte: V.

Le Grand Véfour
17, rue de Beaujolais
Tél. 42.96.56.27.
Service jusqu'à 22 h 15
Fermé: samedi, dimanche et
en août
Cartes: V, AE, DC.

Hôtel Ritz
15, place Vendôme
Tél. 42.60.38.30.
Ouvert tous les jours
Cartes: V, AE, DC, EC.

Lescure
7, rue de Mondovi
Tél. 42.60.18.91.
Service jusqu'à 22 h
Fermé: samedi soir et dimanche.

3e arrondissement

L'Ambassade d'Auvergne
22, rue du Grenier-Saint-Lazare
Tél. 42.72.31.22.
Service jusqu'à 1 h du matin
Fermé: dimanche
Carte: V.

L'Ami Louis
32, rue du Vertbois
Tél. 48.87.77.48.
Service jusqu'à 22 h 30
Fermé: lundi, mardi et
du 1er juillet au 30 septembre
Cartes: V, AE, DC.

4e arrondissement

Benoît
20, rue Saint-Martin
Tél. 42.72.25.76.
Service jusqu'à 22 h
Fermé: samedi, dimanche et
en août.

Au Gourmet de l'Isle
42, rue Saint-Louis-en-l'Ile
Tél. 43.26.79.27.
Service jusqu'à 21 h 30
Fermé: lundi, jeudi et
du 25 juillet au 1er septembre.

Au Pont Marie
7, quai de Bourbon
Tél. 43.54.79.62.
Service jusqu'à 22 h
Fermé: samedi et dimanche.

5e arrondissement

La Tour d'Argent
15-17, quai de la Tournelle
Tél. 43.54.23.31.
Service jusqu'à 22 h
Fermé: lundi
Cartes: V, AE, DC.

6e arrondissement

Allard
41, rue Saint-André-des-Arts
Tél. 43.26.48.23.
Service jusqu'à 22 h 30
Fermé: samedi, dimanche et
en août
Cartes: DC, V.

Jacques Cagna
14, rue des Grands-Augustins
Tél. 43.26.49.39.
Service jusqu'à 22 h 30
Fermé: samedi, dimanche,
du 24 décembre au 2 janvier et
en août
Cartes: V, AE, DC.

Lapérouse
51, quai des Grands-Augustins
Tél. 43.26.68.04.
Service jusqu'à 23 h
Fermé: samedi midi, dimanche
Cartes: V, AE, DC, EC.

Le Petit Saint-Benoît
4, rue Saint-Benoît
Tél.: 42.60.27.92.
Service jusqu'à 22 h
Fermé: samedi et dimanche.

7e arrondissement

Babkine (Chez Germaine)
30, rue Pierre-Leroux
Tél. 42.73.28.34.
Service jusqu'à 21 h
Fermé: samedi soir, dimanche et
en août.

Le Bourdonnais
113, avenue de La Bourdonnais
Tél. 47.05.47.96.
Service jusqu'à 23 h
Fermé: dimanche et lundi
Cartes: V, AE, DC.

Le Divellec
107, rue de l'Université
Tél. 45.51.91.96.
Service jusqu'à 22 h
Fermé: dimanche, lundi,
du 24 décembre au 2 janvier et
du 2 août au 2 septembre
Cartes: V, AE, DC.

La Fontaine de Mars
129, rue Saint-Dominique
Tél. 47.05.46.44.
Service jusqu'à 21 h 15
Fermé: samedi soir, dimanche.

Au Pied de Fouet
45, rue de Babylone
Tél. 47.05.12.27.
Service jusqu'à 21 h
Fermé: samedi soir, dimanche.

Jules Verne
Tour Eiffel (2e étage)
Tél. 45.55.61.44.
Service jusqu'à 22 h 30
Ouvert tous les jours
Cartes: V, AE.

8e arrondissement

Les Ambassadeurs
(Hôtel de Crillon)
10, place de la Concorde
Tél. 42.65.24.24.
Service jusqu'à 22 h 30
Ouvert tous les jours
Cartes: V, AE, DC.

Laurent
41, avenue Gabriel
Tél. 47.23.79.18.
Service jusqu'à 23 h
Fermé: samedi midi, dimanche
Cartes: AE, DC.

Lucas-Carton
9, place de la Madeleine
Tél. 42.65.22.90.
Service jusqu'à 22 h 30
Fermé: samedi, dimanche et
du 2 au 22 août
Carte: V.

Maxim's
3, rue Royale
Tél. 42.65.27.94.
Service jusqu'à 1 h du matin
Fermé: dimanche
Cartes: V, AE, DC.

Pavillon de l'Élysée
10, Champs-Élysées
Tél. 42.65.85.10.
Service jusqu'à 23 h
Fermé: samedi, dimanche et
du 2 au 31 août
Cartes: V, AE, DC.

Taillevent
15, rue Lamennais
Tél. 45.63.39.94.
Service jusqu'à 22 h 30
Fermé: samedi, dimanche et
du 26 juillet au 25 août.

15e arrondissement

Olympe
8, rue Nicolas-Charlet
Tél. 47.34.86.08.
Service jusqu'à minuit
Déjeuner tous les jours
sauf le jeudi
Fermé: lundi et
du 1er au 22 août
Cartes: V, AE, DC.

16e arrondissement

Robuchon
32, rue de Longchamp
Tél. 47.27.12.27.
Service jusqu'à 22 h 15
Fermé: samedi, dimanche et
du 30 juin au 27 juillet
Cartes: V, AE, DC.

Guy Savoy
28, rue Duret
Tél. 45.00.17.67.
Service jusqu'à 22 h 30
Fermé: samedi, dimanche
Carte: V.

Le Manoir de Paris
6, rue Pierre-Demours
Tél. 45.72.25.25.
Service jusqu'à 22 h 30
Fermé: samedi, dimanche et
du 5 juillet au 4 août
Cartes: V, AE, DC.

Michel Rostang
20, rue Rennequin
Tél. 47.63.40.77.
Service jusqu'à 22 h 15
Fermé: samedi, dimanche
(ouvert à midi de mai
à septembre) et du 26 juillet
au 26 août
Carte: V.

18ᵉ arrondissement

Le Bateau Lavoir
8, rue Garreau
Tél. 46.06.02.00.
Service jusqu'à 22 h
Ouvert tous les jours.

Le Petit Marguery
8, rue Aristide-Bruant
Tél. 42.64.95.81.
Service jusqu'à 21 h 30
Fermé: dimanche, lundi et
en septembre.

172

Aux environs de Paris

La Vieille Fontaine
8, avenue Gréty
78600 Maisons-LaffitteTél.
39.62.09.78.
Service jusqu'à 22 h
Fermé: dimanche, lundi et
en août
Cartes: V, AE, DC.

LES PROVINCES

ALSACE

Auberge de l'Ill
Rue de Collonges
Illhaeusern
68150 Ribeauvillé
Tél. 89.71.83.23.
Service jusqu'à 21 h
Fermé: le lundi
(soir en été), le mardi et
le premier week-end de juillet
Cartes: AE, DC.

Le Crocodile
10, rue de l'Outre
67000 Strasbourg
Tél. 88.32.13.02.
Service jusqu'à 22 h
Fermé: dimanche, lundi et
du 8 juillet au 4 août
Cartes: AE, DC.

BOURGOGNE

La Côte Saint-Jacques
14, faubourg de Paris
89300 Joigny
Tél. 86.62.09.70.
Service jusqu'à 21 h 30
Cartes: V, AE, DC.

L'Espérance
Saint-Père-sous-Vézelay
89450 Vézelay
Tél. 86.33.20.45.
Service jusqu'à 21 h 30
Fermé: mardi et
mercredi midi
Cartes: V, AE.

La Côte-d'Or
2, rue d'Argentine
21210 Saulieu
Tél. 80.64.07.66.
Service jusqu'à 22 h
Fermé: mardi et
mercredi midi, du
1ᵉʳ novembre au 31 mars
Ouvert pendant les vacances
Cartes: V, AE, DC.

Lameloise
36, place d'Armes
71150 Chagny
Tél. 85.87.08.85.
Service jusqu'à 21 h 30
Fermé: le mercredi soir
et le jeudi midi
Carte: V.

Georges Blanc
(La Mère Blanc)
01540 Vonnas
Tél. 74.50.00.10.
Service jusqu'à 21 h 30
Cartes: V, AE, DC.

Au Petit Truc
Place de l'Église
21200 Beaune
Tél. 80.22.01.76.
Service jusqu'à 21 h
Fermé: lundi, mardi et
du 3 au 21 août.

BRETAGNE-NORMANDIE

Château de Locguénolé
Route de Port-Louis
56700 Hennebont
Tél. 97.76.29.04.
Service jusqu'à 21 h 30
Cartes: V, AE, DC, EC.

La Bretagne
13, rue Saint-Michel
56230 Questembert
Tél. 97.26.11.12.
Service jusqu'à 21 h 30
Fermé: le dimanche soir,
sauf en juillet et août
Cartes: V, AE, DC.

Restaurant de Bricourt
1, rue Duguesclin
35260 Cancale
Tél. 99.89.64.76.
Service jusqu'à 21 h 30
Fermé: mardi, mercredi
Cartes: V, EC.

Le Pavé d'Auge
Place du Village
14430 Dozulé
Tél. 31.79.26.71.
Service jusqu'à 21 h
Fermé: mardi et
mercredi soir
Cartes: V, AE.

NORD ET CHAMPAGNE

Boyer
(Château des Crayères)
64, bd Henry-Vasnier
51100 Reims
Tél. 26.82.80.80.
Service jusqu'à 21 h 30
Fermé: lundi, mardi
à midi
Cartes: V, AE, DC, EC.

Le Flambard
79, rue d'Angleterre
59000 Lille
Tél. 20.51.00.06.
Service jusqu'à 21 h 30
Fermé: dimanche soir,
lundi et en août
Cartes: AE, DC.

CÔTE D'AZUR

Chantecler
(Hôtel Negresco)
37, Promenade des Anglais
06000 Nice
Tél. 93.88.39.51.
Service jusqu'à 22 h 30
Ouvert: tous les jours
Cartes: V, AE, DC, EC.

Le Royal Gray
(Hôtel Gray d'Albion)
6, rue des États-Unis
06400 Cannes
Tél. 93.48.54.54.
Service jusqu'à 22 h
Fermé: dimanche soir et
lundi hors saison
Cartes: V, AE, DC.

La Palme d'Or
(Hôtel Martinez)
73, bd de la Croisette
06400 Cannes
Tél. 93.84.10.24.
Service jusqu'à 23 h
Cartes: VC, AE, DC, EC.

La Terrasse
(Hôtel Juana)
Avenue Georges-Gallice
06160 Juan-les-Pins
Tél. 93.61.20.37.
Service jusqu'à 22 h
Le soir seulement
du 1ᵉʳ juillet au 31 août
Fermé: du 20 octobre
au 20 mars.

Dominique Le Stanc
18, bd des Moulins
Monte-Carlo
Tél. 93.50.63.37.
Service jusqu'à 22 h
Fermé: dimanche, lundi
Cartes: V, AE, DC.

Restaurant de Bacon
Boulevard de Bacon
06600 Cap d'Antibes
Tél.93.61.77.70.
Service jusqu'à 22 h
Fermé: dimanche soir,
lundi et du 15 novembre
au 1ᵉʳ février
Cartes: AE, DC.

Barale
39, rue Beaumont
06000 Nice.
Service jusqu'à 21 h
Fermé: samedi
Ouvert: le soir seulement.

Chez Fifine
5, rue Cépoun-San-Martin
83990 Saint-Tropez
Tél. 94.97.03.90.
Fermé: lundi, hors saison.

La Tonnelle des Délices
Place Gambetta
83230 Bormes-les-Mimosas
Tél. 94.71.34.84.
Service jusqu'à 22 h
Fermé: du 1er octobre
au 31 mars.

Le Moulin de Mougins
424, chemin du Moulin
Quartier Notre-Dame-
de-Vie
06250 Mougins
Tél. 93.75.78.24.
Service jusqu'à 22 h 30
Fermé: lundi, mardi midi
Cartes: V, AE, DC.

L'Oasis
Rue Jean-Honoré-Carle
06210 Mandelieu
Tél. 93.49.95.52.
Service jusqu'à 21 h 30
Fermé: lundi soir et
mardi.

L'Oustau de Baumanière
Au Val d'Enfer
13520 Maussane-
les-Alpilles
Tél. 90.97.33.07.
Service jusqu'à 21 h 45
Fermé: mercredi, mardi
midi
Cartes: V, AE, DC.

VALLÉE DU RHÔNE, LYON

Léon de Lyon
1, rue Pleney (1er)
69000 Lyon
Tél. 78.28.11.23.
Service jusqu'à 22 h
Fermé: lundi midi, dimanche
Carte: V.

La Tour Rose
16, rue du Bœuf (5e)
69000 Lyon
Tél. 78.37.25.90.
Fermé: dimanche
Cartes: V, AE, DC, EC.

Pierre Gagnaire
3, rue Georges-Teissier
42000 Saint-Étienne
Tél. 77.37.57.93.
Service jusqu'à 21 h 30
Fermé: dimanche, lundi et
du 9 août au 9 septembre
Cartes: V, AE, DC.

Pic
285, avenue Victor-Hugo
26000 Valence
Tél. 75.44.15.32.
Service jusqu'à 21 h 30
Fermé: dimanche soir,
mercredi et en août
Cartes: AE, DC.

Paul Bocuse
50, quai de la Plage
69660 Collonges-au-Mont-d'Or
Tél. 78.22.01.40.
Service jusqu'à 21 h 30
Cartes: V, AE, DC.

Alain Chapel
RN 83
01390 Saint-André-de-Corcy
Tél. 79.91.82.02.
Service jusqu'à 22 h
Cartes: AE, DC.

Troisgros
Place de la Gare
42300 Roanne
Tél. 77.71.66.97.
Service jusqu'à 21 h 30
Fermé: mardi, mercredi midi
et en août
Cartes: V, AE, DC.

MASSIF CENTRAL

Lou Mazuc
12210 Laguiole
Tél. 65.44.32.24.

RÉGION DE LA LOIRE

Jean Bardet
1, rue J.-J. Rousseau
36000 Châteauroux
Tél. 54.34.82.69.
Service jusqu'à 21 h 30
Fermé: dimanche soir, lundi
Cartes: V, AE, DC, EC.

Le Relais
1, avenue de Chambord
41250 Bracieux
Tél. 54.46.41.22.
Service jusqu'à 21 h
Fermé: mardi soir, mercredi
Cartes: V, AE, DC.

Le Lion d'Or
69, rue Georges-Clemenceau
41200 Romorantin
Tél. 54.76.00.28.
Service jusqu'à 21 h
Cartes: V, AE, DC, EC.

PÉRIGORD, QUERCY

Le Moulin du Roc
24530 Champagnac-de-Bélair
Tél. 53.54.80.36.
Service jusqu'à 21 h 30
Fermé: mardi, mercredi soir
Cartes: V, AE, DC, EC.

La Pescalerie
46330 Cabrerets
Tél. 65.31.22.55.
Service jusqu'à 21 h
Fermé: du 1er novembre au
1er avril
Cartes: V, AE, DC.

SUD-OUEST

L'Aubergade
52, rue Royale
47270 Puymirol
Tél. 53.95.31.46.
Service jusqu'à 21 h 30
Fermé: le lundi, sauf
les jours fériés.
Ouvert tous les jours en
juillet et en août
Cartes: V, AE.

A la Belle Gasconne
47170 Mézin
Tél. 53.65.71.58.
Service jusqu'à 21 h 30
Fermé: dimanche soir, lundi,
du 16 janvier au 10 février et
du 1er au 15 novembre
Cartes: V, AE, DC.

Clavel
44, rue Charles-Domercq
33000 Bordeaux
Tél. 56.92.91.52.
Service jusqu'à 21 h 30
Fermé: dimanche, lundi,
du 15 au 31 juillet et pendant
les vacances d'hiver
Cartes: AE, DC, V.

Dubern
42, allée de Tourny
33000 Bordeaux
Tél. 56.48.03.44.

Michel Guérard
Eugénie-les-Bains
40320 Geaune
Tél. 58.51.19.01
Service jusqu'à 22 h
Fermé: du 4 novembre au
30 mars
Carte: AE.

Hôtel de France
Place de la Libération
32000 Auch
Tél. 65.05.00.44.
Service jusqu'à 21 h 30
Fermé: dimanche soir, lundi
et en janvier
Cartes: V, AE, DC, EC.

Les Pyrénées
19, pl. du Général-de-Gaulle
64220 Saint-Jean-Pied-de-Port
Tél. 59.37.01.01.
Service jusqu'à 21 h
Fermé: lundi soir
(de novembre à mars), mardi
(sauf en été)
Cartes: V, AE.

Jean Ramet
7-8, place Jean-Jaurès
33000 Bordeaux
Tél. 56.44.12.51.
Service jusqu'à 22 h
Fermé: samedi, dimanche,
le week-end de Pâques et
du 10 au 24 août
Carte: V.

Saint-James
Jardins de Hauterive
3, place Camille-Hostein
Bouliac
33270 Floirac
Tél. 56.20.52.19.
Service jusqu'à 22 h
Ouvert: tous les jours
Cartes: V, AE, DC.

La Tupina
6, rue Porte-de-la-Monnaie
33000 Bordeaux
Tél. 56.91.56.37.
Service jusqu'à 23 h
Fermé: dimanche
Carte: V.

Vanel
22, rue Maurice-Fonvielle
31000 Toulouse
Tél. 61.21.51.82.
Service jusqu'à 22 h
Fermé: dimanche, lundi midi
et en août
Cartes: AE, EC.

INDEX

175

Cet ouvrage a été achevé d'imprimer
le 20 août 1986
sur les presses de l'imprimerie Mondadori
à Vérone.
Composition 5 Off 7 à Paris.

Imprimé en Italie.

ISBN 2.85108.44.10
Dépôt légal n° 1763 - juin 1986
34/0603/0